COLECCIÓN PRÁCTICA

EXPRESIÓN ESCRITA

Nivel intermedio
A2 - B1

Marcelo Ayala González
Eugenia Criado Clemente

Directora editorial: Raquel Varela
Edición: Cándido Tejerina
Maqueta y diseño: CD Form, S. L. y Enrique Cordero
Ilustraciones: Enrique Cordero
Cubierta: DC Visual, S. L.
Fotografía: CD Form, S. L.

ISBN: 978-84-935792-2-7

Depósito legal: M-36591-2007
Impreso en España por Melsa
Printed in Spain by Melsa

PRESENTACIÓN

Este cuaderno está dirigido a jóvenes y adultos de nivel intermedio que deseen profundizar en la destreza de la expresión escrita. Se corresponde con el nivel A2-B1 del Marco Común Europeo de Referencia para el aprendizaje, la enseñanza y la evaluación de lenguas y está concebido para unas cien horas de clase.

El cuaderno está concebido como material complementario, con el que se puede trabajar tanto dentro como fuera del aula.

La obra consta de **quince unidades agrupadas en cinco bloques,** con un contenido temático unitario que le da sentido y coherencia. Cada **bloque está integrado por tres unidades** que ofrecen una variada y rica tipología de actividades; el alumno puede seleccionar la actividad que considere más apropiada de acuerdo con sus necesidades de aprendizaje.

Cada unidad presenta la siguiente estructura:

- **Página de apertura.** En ella se presentan los objetivos que se desean conseguir y se detallan los contenidos que se van a trabajar y desarrollar a lo largo de la unidad.
- **Nos preparamos para escribir.** Incluye textos modelo, pautas de preparación para la escritura y sugerencias sobre temas, para generar ideas.
- **Ampliamos el vocabulario...** Se ofrece una selección del léxico que puede ser útil y rentable al alumno para llevar a cabo con éxito las actividades propuestas en la unidad.
- **... y repasamos la gramática**: Se revisan los contenidos gramaticales básicos, seguidos de algunos ejercicios.
- **Escribimos el borrador.** Apartado destinado a preparar la redacción del texto que constituye el objetivo de la unidad.
- **Y corregimos la tarea final.** Escritura del texto final, sobre la base del borrador y de los modelos presentados.

Cada bloque termina con una **tarea de evaluación,** en la que se plantean actividades sobre los contenidos gramaticales, funcionales y léxicos que se han presentado y trabajado en el bloque. El alumno puede, de esta manera, valorar su propio progreso y ser consciente de qué contenidos debe revisar.

Este cuaderno representa un instrumento útil para reforzar y ampliar los contenidos del programa de un curso de ELE de nivel intermedio.

ÍNDICE

unidad 1

OBJETIVOS

- **Objetivos comunicativos:**
  Reflexionar sobre el proceso de escribir.
- **Vocabulario:**
  El procesador de textos; las herramientas de escritura.
- **Gramática:**
  Los pronombres de objeto indirecto (OI), objeto directo (OD) y reflexivos.
- **Tipo de texto:**
  Listas y "lluvia de ideas".
- **Tarea**:
  Elaborar una lista y redactar un texto.

1. Observa la fotografía y responde por escrito a estas preguntas.

a. ¿Cómo es la persona que se sienta a escribir en esta mesa?

____

____

b. ¿Qué utiliza para escribir? ______________________

c. ¿Crees que sobra o falta algo? ______________________

____

VOCABULARIO

sobrar: estar de más.
faltar: ausencia de algo.

NOS PREPARAMOS PARA ESCRIBIR

2. ¿Por qué quieres practicar el español escrito? Reflexiona y marca tus respuestas.

Quiero practicar la lengua escrita:

a) Para emplear un español más idiomático. ___

b) Para ampliar vocabulario. ___

c) Para evitar los errores gramaticales. ___

d) Para mejorar el uso de los tiempos verbales. ___

e) Para expresar ideas más complejas en español. ___

f) Para mejorar mi ortografía. ___

g) Para expresarme mejor. ___

h) Porque quiero ser un escritor *políglota*. ___

i) Para aclararme y ordenar las ideas. ___

j) Para entretenerme. ___

k) Para comunicarme con mis amigos. ___

l) Para prepararme para un examen. ___

m) Porque sí, porque me gusta. ___

n) ...

3. ¿Qué tipo de textos quieres aprender a escribir?

a) Cartas personales. ___

b) Cartas de presentación. ___

c) Currículum vitae. ___

d) Comentarios sobre temas de interés. ___

e) ...

4. ¿Qué formatos utilizas cuando escribes?

a) Notas. ___

b) Cartas. ___

c) Mensajes de correo electrónico. ___

d) Faxes. ___

e) ...

5. ¿A quién vas a escribir?

a) A amigos. ___

b) A compañeros de trabajo. ___

c) A clientes. ___

d) ...

6. Ahora termina las frases de este párrafo en el que explicas cuáles son tus objetivos en la práctica del español escrito.

a. Quiero practicar el español escrito para ______________________________

____

b. Principalmente escribiré ______________________________

____

c. Cuando escriba me dirigiré a ______________________________

____

7. El título de esta unidad es una expresión idiomática. En este contexto, ¿puedes deducir qué significa?

a) Arreglar algo. b) Prepararse para algo. c) Terminar algo.

AMPLIAMOS EL VOCABULARIO...

8. ¿Qué herramientas utilizas para escribir? Rodea los nombres con un círculo.

un ordenador — un lápiz — un bolígrafo — hojas de papel
un cuaderno — notas adhesivas — un bloc de notas — una pluma
una agenda electrónica — un ordenador portátil — un diario personal

NOTA:

Dependiendo del área geográfica llamamos a los PCs de distinta manera:
España: el ordenador.
Centroamérica: la computadora.
América del Sur: el computador.

El procesador de textos

9. Arriba puedes ver la imagen de la barra del menú de un procesador de textos. Los comandos te permiten utilizar las distintas funciones de un procesador de textos. ¿Puedes reconocer los siguientes? Escríbelos en tu lengua materna.

Archivo ______________________ Edición ______________________
Ver ______________________ Insertar ______________________
Formato ______________________ Herramientas ______________________
Tabla ______________________ Ventana ______________________
Ayuda ______________________

10. La barra de formato te permite utilizar símbolos para editar el texto. Une las palabras con el símbolo correspondiente. Es más fácil de lo que parece.

1. K — a) rehacer
2. S — b) negrita
3. — c) guardar
4. — d) deshacer
5. N — e) subrayar
6. — f) cursiva

... Y REPASAMOS LA GRAMÁTICA

Los pronombres de objeto directo (OD), objeto indirecto (OI) y reflexivos.

Persona	Pronombres sujeto	Pronombres OD	Pronombres OI	Pronombres reflexivos
	Singular			
1.ª	yo	me	me	me
2.ª	tú	te	te	te
	usted	lo / la	le / se*	se
3.ª	él / ella	lo / la	le / se*	se
	Plural			
1.ª	nosotros/as	nos	nos	nos
2.ª	vosotros/as	os	os	os
	ustedes	los / las	les / se*	se
3.ª	ellos/as	los / las	les / se*	se

* **le** y **les** se transforman en **se** cuando van seguidos de un pronombre de OD en tercera persona.

Orden del OI y OD

Si en una frase utilizamos pronombres de OD y de OI, estos siempre van juntos y el OI se coloca **delante** del OD. Mira los ejemplos:

El vendedor **me** trae **el ordenador.** El vendedor **me lo** trae.
OI **OD** **OI OD**

Ahora **te** comento **el artículo**. Ahora **te lo** comento.
OI **OD** **OI OD**

11. Contesta a las siguientes preguntas sustituyendo los complementos por los pronombres adecuados. Sitúalos en el lugar correcto y efectúa los cambios necesarios.

Ejemplos: ¿Tienes tú mis gafas? *—Sí, yo **las** tengo.*
¿Quién te dijo eso? *—**Me lo** dijo Andrés.*

a. ¿Tienes el último disco de Maná? —Sí, ____________________

b. ¿Has visto la última película de Pedro Almodóvar? —No, todavía no ____________________

c. ¿Te he dicho que María ha vuelto? —No, no ____________________

d. ¿Os han enviado las entradas para el concierto? —Sí, ya ____________________

e. ¿Te dijo ayer Roberto qué quería para su cumpleaños? —No, no ____________________

ESCRIBIMOS EL BORRADOR

El escritor Gabriel García Márquez dice que cuando se sienta a escribir siempre tiene una rosa amarilla sobre su escritorio.

12. ¿Has pensado alguna vez sobre qué necesitas tú para sentirte más a gusto al escribir? Escribe una lista de objetos que te gustaría tener a tu alrededor al escribir.

____

____

13. Piensa y responde por escrito las siguientes preguntas

a. ¿Dónde te gusta escribir? ______________________

____

b. ¿Acudes a algún lugar especial? ______________________

____

c. ¿Tienes algún hábito o ritual para escribir? ______________________

____

d. ¿Cómo es el lugar ideal para ti? ______________________

____

e. Describe el espacio en que te encuentras. ______________________

____

VOCABULARIO

Este vocabulario te puede ser de ayuda.

Adjetivos	Sustantivos	Adverbios
acogedor	el silencio	temprano
cálido	la música	tarde
silencioso	la luz	despacio
ordenado	la mañana	rápido
	la tarde	sin prisa
	la noche	sin pausa
	el dormitorio	todos los días
	la cocina	por la mañana
	la biblioteca	
	la oficina	
	el café	

Y CORREGIMOS LA TAREA FINAL

Escribir es un proceso en el que siempre debemos hacernos las siguientes preguntas:

–¿Qué queremos escribir? ¿Por qué?
–¿A quién? ¿Para quién?
–¿Cómo? ¿Qué lenguaje vamos a utilizar?

Pero antes de empezar a escribir tenemos que desarrollar nuestras ideas o, al menos, organizarlas.

Una de las técnicas más comunes es la "lluvia de ideas". A partir de un tema escribimos una lista de palabras o ideas relacionadas mediante asociaciones. Dejamos que las ideas fluyan sin juzgar si son relevantes o no. Ese paso lo damos más adelante.

14. Piensa en la siguiente situación: Te vas de vacaciones y quieres pedirle a tu vecina que cuide tu casa mientras tú no estás. Observa esta lluvia de ideas sobre las cosas que quieres pedirle y termina esta lista con otras ideas que se te ocurran.

dar las gracias	______________
dejar las llaves	______________
regar las plantas	______________
sacar al perro	______________
darle de comer	______________

15. Ahora termina la carta que le escribes a tu vecina con los favores que quieres pedirle

Querida vecina:
Muchas gracias por cuidar de mi casa mientras estoy de vacaciones. Te dejo las llaves dentro de este sobre.
Por favor riega las plantas una vez por semana. El perro puedes sacarlo a pasear dos veces al día (por la mañana y por la noche). No te olvides de darle de comer una vez al día. Por la noche ______________________________

____

____

____

____

Gracias otra vez y hasta pronto.

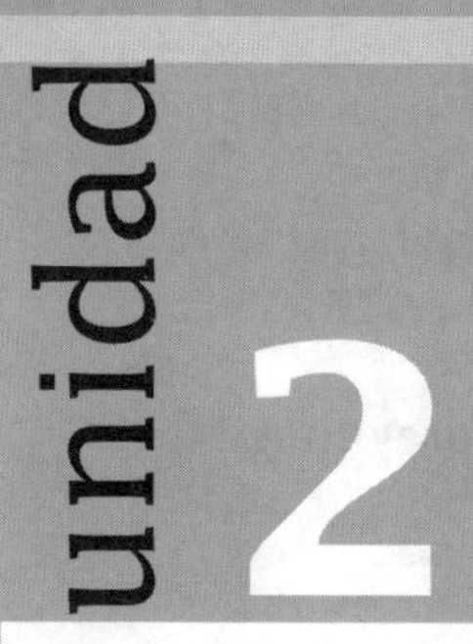

OBJETIVOS

- **Objetivos comunicativos:**
  Expresar dificultad (1); hacer sugerencias.
- **Vocabulario:**
  El teclado español. Señalar puntos fuertes y puntos débiles.
- **Gramática:**
  El condicional.
- **Tipo de texto:**
  Escritura libre.
- **Tarea**:
  Describir puntos débiles y puntos fuertes.

1. Observa la fotografía y responde por escrito.

a. ¿Cuándo fue la última vez que hiciste un examen?

____

____

b. ¿Cómo te sentiste?

____

____

c. ¿Fue difícil? ¿Por qué?

____

____

d. ¿Te habías preparado?

____

____

NOS PREPARAMOS PARA ESCRIBIR

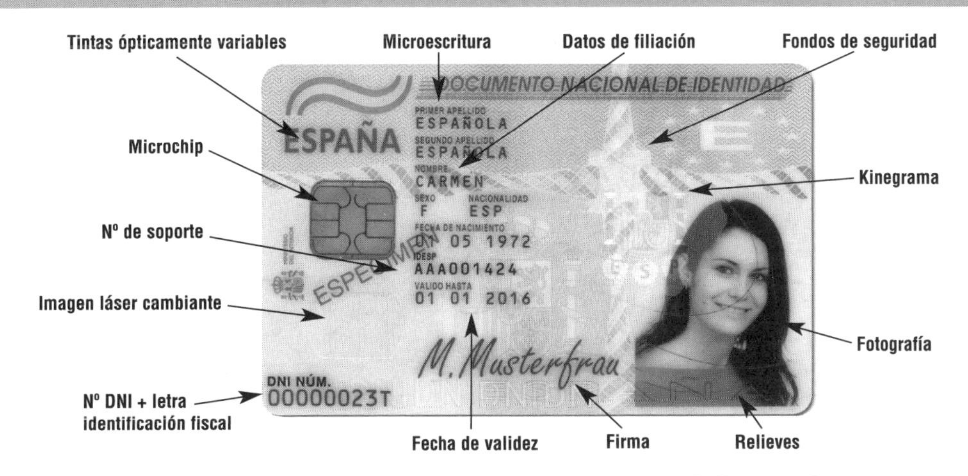

2. ¿Quieres practicar (o, mejor, perfeccionar) tu español conmigo? Lee este mensaje.

¡Hola!
Me llamo Linda; soy sudafricana, pero vivo en Los Ángeles. Estoy buscando posibles fórmulas para practicar mi español en esta metrópoli. Como todo el mundo sabe, en una ciudad como esta los desplazamientos consumen gran parte del día, así que me gustaría practicar el español sin moverme de casa.
Hace algún tiempo quedaba con una chica mexicana para hacer intercambio de conversación, pero desde que me mudé a mi nueva casa no tengo tiempo.
En el trabajo, a menudo escribo mensajes de correo electrónico a los colegas de empresas con las que trabajamos en Sudamérica. Pero siento que estos intercambios son demasiado breves e insuficientes.
Se me ocurre que podríamos intercambiar nuestras experiencias en esta ciudad hablando en español. Mis puntos fuertes son la comprensión de lectura y la escritura. Mis puntos más débiles son la conversación y la comprensión oral. Mi gramática y vocabulario son bastante buenos. Aunque intento estudiar y practicar mucho, no conozco a mucha gente en esta ciudad y me cuesta encontrar personas que tengan tiempo o que quieran hablar en español conmigo. Así que, si te interesa, ponte en contacto. Mis teléfonos son...

3. ¿Cuáles cree Linda que son sus puntos débiles y sus puntos fuertes?

____

4. ¿Qué expresiones utiliza Linda para referirse a las dificultades que encuentra para practicar y expresarse en español?

____

5. ¿Qué sugerencias propone para practicarlo?

____

____

6. ¿Y tú? Haz una lista con tus puntos fuertes y tus puntos débiles en español.

Puntos débiles	Puntos fuertes
____________	____________
____________	____________
____________	____________

VOCABULARIO 1

puntos fuertes: cualidades que se dominan.
puntos débiles: cualidades que se necesitan mejorar.
desplazamiento: movimiento para trasladarse de un lugar a otro.

AMPLIAMOS EL VOCABULARIO...

7. Observa el teclado y responde. ¿Sabes cómo se llaman estas teclas en español? Intenta unir las teclas con los nombres.

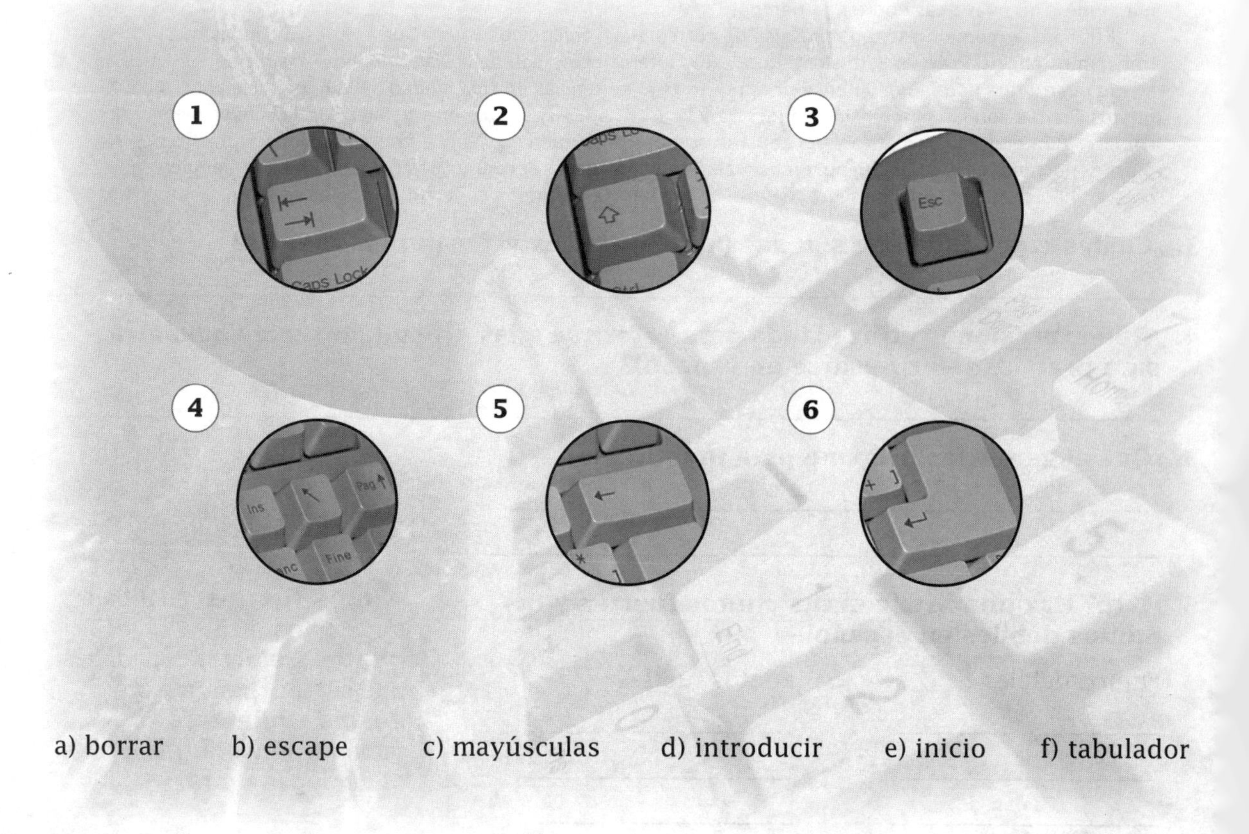

a) borrar b) escape c) mayúsculas d) introducir e) inicio f) tabulador

... Y REPASAMOS LA GRAMÁTICA

EL CONDICIONAL

Verbos regulares	**amar**	**temer**	**escribir**
yo	amar**ía**	temer**ía**	escribir**ía**
tú	amar**ías**	temer**ías**	escribir**ías**
él/ella, usted	amar**ía**	temer**ía**	escribir**ía**
nosotros/-as	amar**íamos**	temer**íamos**	escribir**íamos**
vosotros/-as	amar**íais**	temer**íais**	escribir**íais**
ellos/-as, ustedes	amar**ían**	temer**ían**	escribir**ían**

Verbos irregulares

hacer: yo **har**ía tú **har**ías él **har**ía nosotros **har**íamos vosotros **har**íais ellos **har**ían
decir: yo **dir**ía... poder: yo **pod**ría... poner: yo **pond**ría... querer: yo **querr**ía
saber: yo **sabr**ía... salir: yo **saldr**ía... tener: yo **tendr**ía... venir: yo **vend**ría

Usos:

1. Expresar deseos, planes y proyectos.
   Me encantaría *trabajar en un país de habla española.*
2. Proponer algo.
   *¿**Te gustaría** participar en un foro sobre temas de actualidad?*
3. Hacer sugerencias y dar consejos.
   *Para practicar tu español, **podrías** leer el periódico todos los días.*

NOTA ORTOGRÁFICA:

Observa que todas las formas del condicional llevan acento gráfico sobre la letra **í**.

8. Utilizando el condicional, describe qué harías en las siguientes situaciones.

a. Si encontraras una cartera con dinero efectivo y con un documento de identidad que parece falso.

____

____

b. Si la policía te buscara por un crimen que no has cometido.

____

____

c. Si escucharas una conversación con información privilegiada sobre la bolsa.

____

____

d. Si descubrieras que un familiar se parece a la foto de un estafador que opera en tu vecindario.

____

____

ESCRIBIMOS EL BORRADOR

9. Responde al mensaje de la segunda página de esta unidad siguiendo el esquema siguiente:

- Preséntate brevemente.
- Explica cuáles son tus puntos débiles y tus puntos fuertes con el español.
- Responde afirmativa o negativamente a las sugerencias que hace Linda.
- Explica y añade tus propias ideas para practicar el español.
- Cierra tu mensaje animando a Linda en su práctica.

Así podemos hacer sugerencias...

Podrías + infinitivo: ***Podrías escribir*** *un resumen de tu libro favorito.*

Deberías + infinitivo: ***Deberías empezar*** *por lo más sencillo y* ***progresar*** *poco a poco.*

Estimada Linda:

Soy ____

____

____

____

____

____

____

____

____

____

Y CORREGIMOS LA TAREA FINAL

10. Piensa en tus puntos débiles y en tus puntos fuertes respecto del español. ¿Qué es para ti lo más fácil y lo más difícil? ¿Leer? ¿Escribir? ¿Hablar? ¿Escuchar?

11. Ahora escribe sobre tus fortalezas y debilidades con el español y señala qué crees que deberías hacer para mejorar tus puntos más débiles. No olvides utilizar el condicional.

Para mí, lo más difícil del español es ______________________________

____

____

Creo que debería ____

____

____

____

____

____

____

____

____

____

____

____

TUS PROPIAS REGLAS

unidad 3

OBJETIVOS

- **Objetivos comunicativos:**
  Expresar dificultad (2), obligación, prohibición y mandato.
- **Vocabulario:**
  Las obligaciones; la oficina, el lugar de trabajo.
- **Gramática:**
  El imperativo afirmativo y negativo.
- **Tipo de texto:**
  Reglas, instrucciones y decálogos.
- **Tarea**:
  Redactar tu decálogo del buen escritor.

1. Observa la fotografía y responde por escrito a estas preguntas:

a. ¿Dónde crees que está escribiendo esta chica?

____

____

____

b. ¿Qué objetos tiene en su mesa?

____

____

____

c. ¿Crees que disfruta lo que hace?

____

____

____

2. ¿Y a ti, cómo, cuándo y dónde te gusta escribir? ¿Qué crees que se necesita para escribir a gusto? ¿Conoces algún consejo para escribir bien? ¿Cuál? Escríbelo.

____

____

____

____

____

____

NOS PREPARAMOS PARA ESCRIBIR

3. Todos tenemos obligaciones en la vida. Debemos estudiar, trabajar, cuidar de la familia, de la casa, etc.

¿Cuáles son tus obligaciones cotidianas? ¿Hay algo que tengas que hacer regularmente? Escribe sobre tus obligaciones. Estas estructuras simples te ayudarán.

Hay + **que** + infinitivo: *En la escuela todos los días **hay que escribir** una composición.*

Tener + **que** + infinitivo: *En casa todos los días **tengo que hacer** mi cama.*

Puedes empezar así:

Todos los días en mi trabajo hay que hacer muchas cosas. En primer lugar, tengo que leer los correos electrónicos y responderlos rápidamente. Después tengo que ________________

____

____

____

____

____

4. Ciertas cosas son más difíciles de hacer porque no nos gustan, son complicadas o no tenemos la habilidad para realizarlas bien.

Para expresar dificultad también podemos utilizar las siguientes expresiones:

Dársele bien/mal/fatal algo a alguien: *Las matemáticas **se me dan** fatal pero el español **se me da** muy bien.*

Costar: ***Me cuesta*** *entender las matemáticas, pero el español **no me cuesta** nada.*

5. Intenta usar las estructuras anteriores para escribir qué cosas son más difíciles y cuáles más fáciles en tus estudios o en tu trabajo.
Fíjate en los ejemplos.

*Una cosa que **se me da** muy bien en el trabajo es hacer presentaciones. Me gusta mucho.*
*A mí hacer presentaciones **se me da** fatal. **Me cuesta** mucho hablar en público.*

____

____

____

____

____

AMPLIAMOS EL VOCABULARIO...

6. Como decíamos, todos debemos cumplir con una serie de obligaciones en casa, en los estudios o en el trabajo. Lee estas actividades y clasifícalas en los casilleros correspondientes. Luego completa las listas con otras actividades que se te ocurran.

tener reuniones – hacer los deberes – trabajar en el jardín – lavar la ropa
llamar por teléfono – hacer la limpieza – escribir correos electrónicos – hacer informes
usar la biblioteca – cocinar – hablar con el jefe –- hacer la compra – hacer exámenes
comer con clientes – ordenar el cuarto – estudiar – usar el ordenador –
ir a clases – enviar faxes

Actividades de casa	Actividades de escuela	Actividades del trabajo
trabajar en el jardín	hacer los deberes	tener reuniones
____________	____________	____________
____________	____________	____________
____________	____________	____________
____________	____________	____________
____________	____________	____________

7. En las oficinas, despachos y lugares de trabajo encontramos una serie de objetos que utilizamos para trabajar.

¿Conoces el nombre de estas cosas? Une con una flecha la imagen de la izquierda con el nombre de la derecha.

a) ratón

b) telefax

c) impresora

d) escáner

e) escritorio

... Y REPASAMOS LA GRAMÁTICA

EL IMPERATIVO AFIRMATIVO Y NEGATIVO

Usos:

Dar instrucciones, órdenes y consejos: ***Escriba*** *su nombre en letra de imprenta.*

Invitar y ofrecer: ***Miren*** *lo que tenemos para ustedes.*

Verbos regulares:

mirar → mir**a** (tú), mir**e** (usted), mir**emos** (nosotros), mir**ad** (vosotros), mir**en** (ustedes)

beber → beb**e** (tú), beb**a** (usted), beb**amos** (nosotros), beb**ed** (vosotros), beb**an** (ustedes)

escribir → escrib**e** (tú), escrib**a** (usted), escrib**amos** (nosotros), escrib**id** (vosotros), escrib**an** (ustedes)

Verbos con formas irregulares totales:

poner → pon, ponga, pongamos, poned, pongan

decir → di, diga, digamos, decid, digan

hacer → haz, haga, hagamos, haced, hagan

salir → sal, salga, salgamos, salid, salgan

ir → ve, vaya, vayamos, id, vayan

Las formas del imperativo negativo son diferentes de las del imperativo afirmativo en las personas **tú** y **vosotros**

	Verbos en -ar	Verbos en -er	Verbos en -ir
(tú)	habl**a** - no habl**es**	com**e** - no com**as**	escrib**e** - no escrib**as**
(usted)	habl**e** - no habl**e**	com**a** - no com**a**	escrib**a** - no escrib**a**
(vosotros)	habl**ad** - no habl**éis**	com**ed** - no com**áis**	escrib**id** - no escrib**áis**
(ustedes)	habl**en** - no habl**en**	com**an** - no com**an**	escrib**an** - no escrib**an**

Usos:

Expresar prohibición: ***No crucéis*** *la calle; el semáforo está rojo.*

8. Ahora completa con un imperativo afirmativo o negativo y utilizando la forma *tú* el siguiente párrafo con sugerencias para salir de vacaciones.

Si sales de vacaciones ______________ (olvidar) seguir algunas recomendaciones: ______________ (cerrar) todas las puertas y ventanas de la casa con seguro. ______________ (apagar) las luces y ______________ (dejar) bien cerrados los grifos del agua. ______________ (pedir) a un vecino que de vez en cuando riegue las plantas. ______________ (permitir) que se acumule la correspondencia ni los periódicos, porque esto indica que la casa esta sola. ______________ (llamar) a tu vecino para saber si hay alguna novedad y, cuando vuelvas, ______________ (olvidarse) de traerle algún regalo. Por supuesto, ______________ (dar) las gracias.

ESCRIBIMOS EL BORRADOR

9. Observa esta definición de "decálogo" recogida del diccionario de la Real Academia Española (DRAE, www.rae.es).

DECÁLOGO

- m. Conjunto de normas o consejos que, aunque no sean diez, son básicos para el desarrollo de cualquier actividad.

10. Piensa en el "decálogo" de algunas actividades importantes y escribe un conjunto de normas y consejos que tú creas que se necesitan para poder realizarlas bien. Aquí tienes algunas ideas:

1. Decálogo del buen deportista
2. Decálogo del buen trabajador
3. Decálogo del buen hijo
4. Decálogo del buen estudiante de español
5. Decálogo de...

Ejemplo: ***Decálogo del buen deportista***

- *Levántate temprano.*
- *Entrena constantemente.*
- *No bebas alcohol.*
- *No fumes.*
- *Aliméntate bien.*
- *Cuida tu cuerpo.*
- *Ten disciplina.*
- *No te acuestes tarde.*
- *Haz ejercicios.*
- *Visita al médico regularmente.*

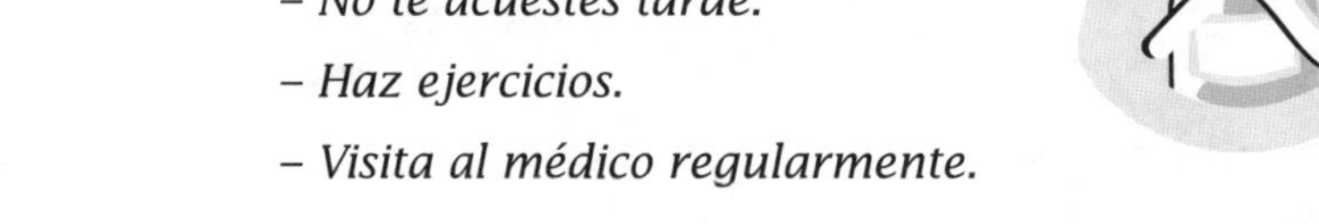

11. Ahora escribe tú las normas.

Decálogo del buen trabajador

No faltes nunca a trabajar.

____

____

____

____

____

____

Y CORREGIMOS LA TAREA FINAL

12. Escribir es un ejercicio que requiere disciplina, dedicación y concentración. A continuación te presentamos dos modelos de escritores con sus respectivos hábitos de trabajo. Obsérvalos un momento.

Hábitos del escritor responsable	Hábitos del escritor bohemio
Observa calmadamente la realidad.	Escribe sin observar.
Toma notas en un cuaderno.	Toma notas en cualquier parte.
Piensa en su audiencia.	No piensa para quién escribe.
Dirige su trabajo.	No piensa en el lector.
Escribe borradores.	No usa borradores.
Procesa las ideas.	No es sistemático.
Escribe cada mañana.	Escribe en forma espontánea.
Revisa el borrador.	No revisa.
Termina lo que empieza.	A veces no termina.
Deja reposar lo que escribe.	No procesa lo que escribe.

13. Piensa sobre los hábitos del buen escritor. Nosotros te proponemos algunos. Completa el decálogo o escribe el tuyo propio. Utiliza el imperativo.

Decálogo del buen escritor

1. Escribe todos los días aunque sólo sea unas líneas.
2. Disfruta mientras escribes. No seas demasiado duro en tus críticas.
3. Deja descansar los escritos un día antes de la última revisión.
4. No tires lo que escribas, guarda todo en tu portafolio.
5. Si te bloqueas, haz un pequeño dibujo de un personaje.
6. Lee cuanto puedas: revistas, cómics, novelas policiacas, clásicos...
7. ______________________________
____
8. ______________________________
____
9. ______________________________
____
10. ______________________________
____

BLOQUE 1

EVALÚA TU PROGRESO

En el bloque 1:

- Hemos revisado vocabulario relacionado con las herramientas de escritura, el procesador de textos y el teclado español.
- Hemos aprendido a señalar nuestras fortalezas y debilidades con el español.
- También hemos aprendido a expresar dificultad, hablar de obligaciones y describir espacios de trabajo.

1. Recuerda todo eso rellenando las tablas con el vocabulario aprendido en las unidades 1-3.

Las herramientas de escritura	El procesador de textos y el teclado español	Hablar de fortalezas y debilidades. Expresar dificultad	Describir espacios
una agenda electrónica	arroba	Para mí lo más fácil...	acogedor
un bolígrafo	archivo	Me cuesta mucho...	cálido
______	______	______	______
______	______	______	______
______	______	______	______
______	______	______	______
______	______	______	______

2. Elige una de las categorías anteriores y elabora un texto en el que utilices el vocabulario aprendido para describir algunos de tus hábitos de escritura.

____

____

____

____

____

3. También has aprendido algunos usos del condicional. ¿Puedes explicar alguno?

____

____

____

____

EVALUACIÓN DEL BLOQUE 1

4. Utiliza tus propias palabras y escribe un ejemplo sobre un uso del condicional.

5. Además de dar órdenes, ¿qué otras funciones cumple el imperativo afirmativo?

Dar órdenes.

6. ¿Cuál es la principal función del imperativo negativo?

7. Piensa en lo aprendido en estas tres unidades y elabora un texto en el que utilices el vocabulario para describir algunos de tus hábitos de escritura.

8. De las tres tareas propuestas en el bloque 1, ¿cuál te ha parecido más útil e interesante? Escribe por qué.

BLOQUE 2

HÁBLAME DE TU FAMILIA

unidad 4

OBJETIVOS

- **Objetivos comunicativos:**
  Describir a personas; el aspecto físico y el carácter.
  Contrastar acciones pasadas. Hablar de acciones puntuales.
  Hablar de hábitos.
- **Vocabulario:**
  La profesión; los gustos; los hábitos. El parentesco.
- **Gramática:**
  Pretérito indefinido; pretérito perfecto.
  Contraste indefinido-perfecto.
- **Tipo de texto:**
  Cartas personales (registro informal).
- **Tarea:**
  Escribir una carta a un amigo.

1. Observa esta fotografía y haz una breve descripción con las palabras del recuadro.

VOCABULARIO

familia – estar abrazados
sentir cariño
estar cogidos de la mano
exterior
escena familiar
dos generaciones
hombre y mujer – niño
estar sonriendo
sonrisas – tres – pelo corto -
rubio – moreno – jóvenes -
padres – felices.

Puedes empezar así:

Es una familia pequeña. Son tres: un hombre, una mujer y un niño. Están sonriendo.

NOS PREPARAMOS PARA ESCRIBIR

2. Observa la fotografía y lee el texto.

Esta es mi familia. El hombre mayor que está a la izquierda, un poco gordo y que lleva gafas, es José, mi padre.
Era abogado, pero se jubiló hace dos años. Antes trabajaba mucho, pero ahora descansa y juega al golf. Es muy simpático y divertido. Está todo el tiempo haciendo bromas.

La chica de gafas es mi hermana Andrea. Acaba de tener un hijo. Ahora no trabaja, pero antes trabajaba como secretaria en una compañía de seguros.

El chico junto a la chica de gafas soy yo, Enrique. Soy informático y ahora tengo mi propio negocio. Antes era vendedor y vendía ordenadores. La pequeña que tengo en mis brazos es mi sobrina Camila. Es hija de mi hermana Andrea. La mujer de pelo corto que está a mi lado es mi madre, Natalia. Ella es profesora. Antes enseñaba en una escuela secundaria, pero ahora acompaña a mi padre en casa. El pequeñín que está en brazos de mi hermana es mi sobrino Carlitos. Sólo tiene tres meses de edad, pero ya es muy listo y gracioso.

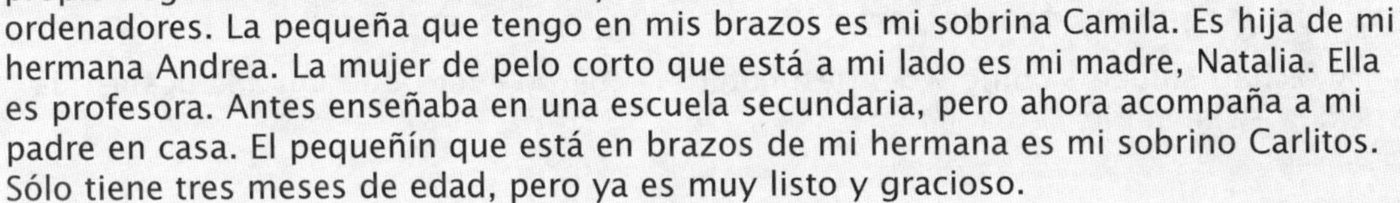

3. Completa con el nombre de la persona, según el parentesco.

a. Es el abuelo de Carlitos: ______________________

b. Es la nieta de Natalia: ______________________

c. Es el sobrino de Enrique: ______________________

d. Es el tío de Camila: ______________________

4. Observa la foto y describe físicamente a Enrique. Fíjate en cómo se describen los otros personajes de la imagen.

____

____

____

5. ¿A qué se dedica actualmente el padre de Enrique? ¿Cuál era su profesión?

____

____

____

AMPLIAMOS EL VOCABULARIO...

Saludos y despedidas: partes de una carta

Aquí tienes algunas fórmulas de saludos y despedidas que se utilizan en una carta.

Saludos formales: Excelentísimo señor. Muy señor mío. Distinguido/a... . Estimado/a... .

Saludos informales: Querido/a... . Hola, José. (Hola) Mi amor.

Despedidas formales: Atentamente. Cordialmente. Se despide.

Despedidas informales: Hasta pronto. Besos y abrazos. Muchos besos. Cuídate mucho.

Junto con el destinatario (persona a quien nos dirigimos por escrito) y el firmante (persona que escribe), la estructura de una carta se compone de tres elementos básicos: el saludo, la parte central (cuerpo), y la despedida.

Dependiendo del tipo de destinatario, elaboraremos una carta con un registro más o menos formal. El formato de las cartas personales es mucho más flexible que el de las cartas comerciales y profesionales.

Estas son las partes de una carta:

lugar y fecha – saludo – nombre del destinatario – cuerpo – introducción a la despedida despedida – signatario (firma)

6. Fíjate en este modelo e identifica las partes de la carta. Pon el nombre correspondiente en cada recuadro.

[ ]

Buenos Aires, 5 de noviembre de 2006

[ ]

Querida familia:

[ ]

Les escribo desde Buenos Aires para contarles que ya he empezado las clases en la universidad y que todo está saliendo muy bien. Mis profesores son excelentes, los cursos interesantes y mis compañeros muy simpáticos.

Ayer tuve mi primer examen y creo que me fue bastante bien. Al principio del curso estaba un poco nervioso y desorientado, pero ahora me siento mucho mejor. La verdad es que me he adaptado muy bien y, aunque los echo de menos, ya me he acostumbrado a esta ciudad.

[ ]

Espero que todo esté bien por Santiago. Pronto volveremos a vernos, ya que tengo planeado ir a visitarlos en navidades. ¡Que ganas tengo de verlos!

[ ]

Besos y abrazos.

[ ]

Nombre (y apellido)

...Y REPASAMOS LA GRAMÁTICA

Contraste pretérito indefinido-pretérito perfecto

Cuando hablamos del pasado tenemos que decidir qué tiempo del pretérito es apropiado para expresar lo que queremos decir. Para ayudarnos a tomar esta decisión, repasemos los valores que tienen el pretérito indefinido y el pretérito perfecto.

- El pretérito perfecto expresa acciones situadas en el pasado y que perduran o tienen consecuencias en el presente. Podemos decir que "tiene un pie" en el presente. El periodo que abarca este presente puede ser corto (esta mañana) o largo (este milenio).

  Ejemplo: *Este año* ***han salido*** *muchas películas, pero no las* ***he visto*** *todas.*

  Recuerda que, en general, no podemos utilizar el pretérito perfecto para hablar de una acción realizada y terminada en un pasado desconectado del presente, por ejemplo la semana pasada.

- El pretérito indefinido expresa acciones realizadas y terminadas en momentos precisos del pasado, sin relación con el presente. Es el tiempo de la narración en el pasado. Con este tiempo, la historia que contamos avanza.

  Ejemplo: *La bicicleta* ***resbaló***, ***perdí*** *el equilibrio, me* ***caí***, *y me* ***golpeé*** *el hombro contra la acera. Un señor* ***vio*** *el accidente y* ***llamó*** *una ambulancia.*

7. Escribe esta breve historia poniendo los verbos entre paréntesis en el tiempo adecuado según el contexto.

Ayer (acostarme) tarde porque (ir) a bailar con mi novia. (Estar) en la Disco hasta las dos de la madrugada y luego, antes de volver a casa, (pasar) por un bar para comer un sándwich y (tomar) chocolate caliente. Hoy (levantarme) tarde porque estaba muy cansado. (Desayunar) a las 11, (almorzar) a las dos y media y (cenar) a las nueve de la noche.

____

____

____

____

____

AYUDA ORTOGRÁFICA:

Fíjate cómo se escribe el sonido /r/ (erre).

r (sencilla)
- Al principio de una palabra: *roca.*
- En el interior de una palabra, después de **l, n, s**: *alrededor, sonrisa, Israel.*

rr (doble)
- Entre vocales: *arroz.*

8. Señala si las siguientes palabras están bien (✓) o mal (✗) escritas.

arcángel ____ arrecife ____

Ramón ____ enrraizado ____

enredado ____ ratón ____

ESCRIBIMOS EL BORRADOR

9. Fíjate en el contexto y completa esta redacción con el tiempo apropiado del verbo entre paréntesis.

Una fiesta sorpresa

Mis hermanos y yo siempre (ser) ____________ muy buenos amigos. Ayer (ser) ____________ el cumpleaños de mi hermano Pablo. Yo quería festejarlo y (decidir) ____________ organizar una fiesta para él. (Llamar) ____________ a todos sus amigos y les (decir) ____________ que no debían decirle nada. Todos (prometer) ____________ guardar el secreto. Mis otros hermanos y yo (poner) ____________ el equipo de música en el sótano. Yo (grabar) ____________ cintas de música bailable. Mi novia (hacer) ____________ un pastel y los amigos (traer) ____________ cerveza y vino.

A la hora prevista yo (ir) ____________ a buscar a mi hermano a su trabajo. Volvimos a casa y mi hermano (llevarse) ____________ la sorpresa de su vida cuando él y yo (entrar) ____________ . Nos (divertir) ____________ muchísimo. Muchos amigos que estudiaban con nosotros en la escuela secundaria y aun en la primaria ____________ (venir) para estar con él. (Ser) ____________ una fiesta estupenda.

Esta mañana mis hermanos y yo (limpiar) ____________ el sótano y (ordenar) ____________ la casa. Sin embargo, todavía no (desaparecer) ____________ el olor a cerveza y a cigarrillos.

Y CORREGIMOS LA TAREA FINAL

10. Poniéndonos en situación.

Esta joven escribe muy concentrada. ¿Puedes imaginar a quién o por qué escribe? ¿Qué tipo de texto puede ser? ¿Quién lo va a leer?

____

____

____

____

____

11. Has llegado a Santiago de Chile a estudiar español en una universidad. Como alumno extranjero en un curso de inmersión, vives con una familia chilena. Aquí tienes la foto de la familia con la que vives. Obsérvala bien.

12. Ahora imagina tu experiencia y escríbele una carta a tu mejor amigo describiéndole tus primeras semanas en Santiago. Sé creativo (aunque no conozcas Santiago, imagina cómo podría ser). Háblale de tus impresiones sobre la ciudad y su gente, descríbele la familia con quien vives. Coméntale también alguna actividad que te haya gustado y cuándo la realizaste.

Asegúrate de que la carta:

- Está fechada.
- Tiene un destinatario.
- Tiene un saludo de introducción.
- Expresa el motivo por el que la escribes.
- Tiene una despedida.
- Está firmada.

____

____

____

____

____

BLOQUE 2

DE VIAJE

unidad 5

OBJETIVOS

- **Objetivos comunicativos:**
  Contar un viaje, hablar de las vacaciones, narrar una experiencia, describir circunstancias, contrastar presente y pasado.
- **Tipo de texto:**
  Diarios de viaje y postales.
- **Vocabulario:**
  Países, ciudades, lugares turísticos, actividades de ocio, paisajes, lugar de vacaciones.
- **Gramática:**
  Pretérito imperfecto. Contraste entre el pretérito indefinido/perfecto y el pretérito imperfecto.
- **Tarea:**
  Relatar un viaje en forma de diario.

1. Imagina dónde y por qué están allí estas chicas y escríbelo.

____

____

____

____

2. ¿Dónde pasas tus vacaciones?

____

____

____

____

NOS PREPARAMOS PARA ESCRIBIR

3. ¿Qué ofrece este anuncio? ¿Cómo puedo *contactarme* con ellos?

Asia, Sudamérica, África. ¿Ruinas mayas o templos budistas?

¡Lo tenemos todo!

Prepare y ***planifique*** su viaje escogiendo de entre la ***gran variedad*** de paquetes, aerolíneas y hoteles.

Asiseviaja.com es la alternativa para su viaje perfecto.

¡Llámenos!

4. Encuentra, entre las siguientes opciones los sinónimos de las palabras de la actividad 3 marcadas en cursiva:

a) amplia disponibilidad b) ponerme en contacto c) organice

5. Lee la postal y observa los tiempos verbales en negrita y en cursiva. ¿Sabes de qué pretéritos se tratan? ¿Con qué función se utiliza cada uno? ¿Puedes deducir una regla gramatical?

Hola, María
Como ves, te escribo desde Río de Janeiro.
Vine el viernes por la noche a pasar dos semanas de vacaciones. Esta es la segunda vez que estoy aquí.
La primera vez **fue** cuando ***vivía*** en Brasil y ***estudiaba*** portugués en Sao Paulo.
Ayer **salí** a cenar con unos chicos que **conocí** en el avión cuando ***veníamos*** para acá. Lo **pasamos** muy bien.
Hoy he estado toda la mañana en la playa y en la tarde he visitado el Cristo Redentor, que es impresionante.
Mañana pienso ir de compras a Ipanema.
Río es una experiencia fascinante.
Un beso,
Juan Carlos

María Rodríguez

C/ Palmares, 42, 3.º A

28001 Madrid

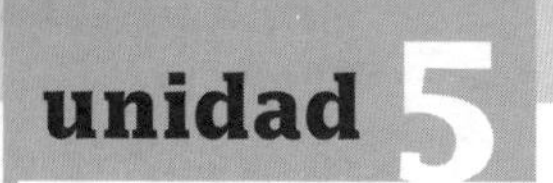

AMPLIAMOS EL VOCABULARIO...

Adjetivos de valoración.

A veces tenemos dificultad para expresar valoraciones personales utilizando el adjetivo o la estructura adecuada. Para ello existe una serie de combinaciones entre adjetivos y sustantivos.

Observa estas combinaciones y su transformación equivalente.

- Fue una experiencia inolvidable. – ¡Qué experiencia tan inolvidable!
- Fue una experiencia aconsejable. – ¡Qué experiencia tan aconsejable!
- Tuve un encuentro muy agradable. – ¡Qué encuentro tan agradable!

6. Ahora, transforma las siguientes frases como en los ejemplos anteriores.

a. Es una ciudad muy bonita. – ______________________

b. Es gente muy amable. – ______________________

c. Estuve en una fiesta espectacular. – ______________________

AYUDA ORTOGRÁFICA:

Palabras con tilde o sin tilde, juntas o separadas y con diferente significado.

Forma	Función	Ejemplo
a donde	Preposición + adverbio relativo de lugar (se escribe en dos palabras, cuando el antecedente no está explícito).	*Me voy* ***a donde*** *nadie quiere ir.*
adonde	Adverbio relativo de lugar (se escribe en una palabra cuando el antecedente está explícito)	*La escuela* ***adonde*** *voy es la mejor.*
adónde	Adverbio interrogativo o exclamativo.	*¿****Adónde*** *vas con esos libros?*

7. Completa las oraciones con la forma adecuada según la función.

a. Mis padres siempre vienen ______________________ yo estoy.

b. Aquella es la discoteca______________________ voy los fines de semana.

c. ¿ ______________________ vamos?

...Y REPASAMOS LA GRAMÁTICA

Algunos usos del pretérito imperfecto

Ya sabes que utilizamos el pretérito imperfecto para describir el pasado. Por eso, este es el tiempo que conviene para:

- Hablar de la rutina o acciones habituales en el pasado.

  Ejemplos: *Cuando estaba en el colegio todos los días me* ***levantaba*** *a las siete*
  Los domingos ***íbamos*** *a comer en casa de mi abuela*

- Hablar de una situación en el pasado.

  Ejemplos: *En aquella época yo* ***tenía*** *quince años.*
  Nosotros no ***teníamos*** *dinero.*

- Hacer una descripción física y moral o hablar de un estado de ánimo en el pasado.

  Ejemplos: *Ella* ***era*** *rubia y* ***tenía*** *los ojos azules.*
  Éramos *muy valientes.*
  Juan ***estaba*** *enfermo y* ***tenía*** *fiebre.*

- También usamos el imperfecto para presentar la información como una circunstancia que envuelve el acontecimiento.

  Ejemplo: *La semana pasada me compré un traje: el lunes* ***tenía*** *una entrevista de trabajo y* ***necesitaba*** *ir muy bien vestido.*

- Otra función importante es comparar y expresar contraste entre el estado actual (presente) y estados anteriores (pasado).

  Ejemplos: *Antes* ***viajaba*** *mucho (= ahora viajo menos o no viajo).*
  Antes no ***había*** *tanta gente con teléfonos móviles. Ahora casi todo el mundo los tiene.*

8. Identifica los usos de los imperfectos en las siguientes oraciones:

Ejemplo: *Antes era muy gorda, ahora está delgadísima.* – Contraste pasado-presente.

a. Su novio era un chico muy atractivo. Llevaba el pelo largo, tenía los ojos verdes y era muy moreno. Además era muy simpático. – ____________________

b. En ese tiempo éramos muy pobres. – ____________________

c. Cuando era pequeño, todos los domingos íbamos a misa y después almorzábamos en casa de mis abuelos. – ____________________

ESCRIBIMOS EL BORRADOR

Contraste entre pasado y presente

9. Observa estas fotografías. Corresponden a la misma ciudad con una diferencia en el tiempo de 80 años.

Antes

Ahora

10. Describe cómo ha cambiado la ciudad comparando las fotografías de antes y ahora. Puedes empezar así:

Mi ciudad ha cambiado mucho. Antes no circulaban muchos coches, ahora circulan coches y autobuses ____

____

____

____

____

____

____

____

Y CORREGIMOS LA TAREA FINAL

11. ¿Recuerdas tu primer viaje sin la familia? Escribe tu experiencia en forma de diario. Describe el lugar adonde fuiste, por qué fuiste y qué ocurrió durante el viaje. Acompaña las acciones con algunas circunstancias y explica cómo ha cambiado el lugar o la forma de viajar con relación al presente.

Antes de escribir

Recuerda que en este tipo de redacciones no hay un destinatario concreto, no hay una situación comunicativa como en la carta, y por eso no se puede hacer referencia a otra persona como si esta nos escuchara.

BLOQUE 2

unidad 6

CUÉNTAME UNA ANÉCDOTA

OBJETIVOS

- **Objetivos comunicativos:**
  Relatar sucesos. Contar una anécdota. Indicar anterioridad. Contrastar presente y pasado. Hablar de noticias.
- **Vocabulario:**
  Actividades habituales. Adjetivos para describir el presente y el pasado. Expresar sorpresa y curiosidad.
- **Gramática:**
  Introducción del pluscuamperfecto. Contraste entre los tiempos del pasado.
- **Tipo de texto:**
  Mensajes de correo electrónico.
- **Tarea:**
  Enviar un correo electrónico contando una anécdota curiosa.

1. Observa esta fotografía, piensa y escribe.

a. ¿Quiénes son estas personas?

____

____

b. ¿Por qué se ríen?

____

____

c. ¿Sabes qué es una anécdota? ¿Puedes definirlo con tus propias palabras?

____

____

d. ¿Sabes contar una anécdota?

____

____

____

NOS PREPARAMOS PARA ESCRIBIR

2. Lee los siguientes fragmentos. Pon atención al tipo de información que proporcionan, el vocabulario y los usos del pasado.

Un día estaba yo sentado observando a mi mamá lavar los platos en la cocina. De repente noté que tenía varios cabellos blancos que sobresalían entre su cabellera oscura. La miré y le pregunté inquisitivamente: "¿Por qué tienes algunos cabellos blancos, mamá?". Ella me contestó: "Porque, cada vez que haces algo malo y me haces llorar o me pones triste, uno de mis cabellos se pone blanco". Yo me quedé pensativo unos instantes, y luego le dije: "Mamá, entonces..., ¿por qué TODOS los cabellos de la abuelita están blancos?

Pues resulta que el director, al comenzar la reunión, fue a darle la mano a uno de sus más distinguidos clientes, y el hombre no se dio cuenta y, de buenas a primeras, se puso a rascarse la nariz. Total, que el jefe se quedó con la mano en el aire y todo el mundo se sintió muy incómodo por la situación...

Un taxista de Valladolid quedó estupefacto al reconocer en el pasajero que acababa de subir a su vehículo al hijo que había perdido de vista hacía 32 años. "No le reconocí en un primer momento, pero cuando me di cuenta, fue fantástico", declaró Sinesio Vico, de 61 años. "Fue impactante, pero un impacto muy agradable", dijo por su parte su hijo, de 39 años, también llamado Sinesio.

Las anécdotas se caracterizan por el tono gracioso y curioso de su información.

3. Escribe la siguiente historia, que ocurrió en el pasado, como una anécdota o curiosidad. Utiliza los pretéritos, según lo que has aprendido, y dale un tono curioso o gracioso al relato.

Ocho de la tarde. Una pareja llega a un restaurante muy elegante para una cena romántica. Ella pide un primer plato a base de verduras y legumbres y un segundo plato a base de pescado y vegetales. Él tiene mucha hambre y pide carnes, ensaladas, pastas y vino. Después de cenar, él le dice que quiere pedirle algo. Ella está nerviosa. Él la mira a los ojos y le dice que quiere casarse con ella, porque la ama. Ella se emociona y acepta. Felices se dan un beso y piden la cuenta. Cuando el camarero trae la factura, él se da cuenta de que no tiene la cartera y que no trae dinero consigo. Ella tampoco tiene dinero. Total, que ambos tienen que quedarse a lavar los platos por no poder pagar.

____

____

____

____

____

____

____

AMPLIAMOS EL VOCABULARIO...

4. Relaciona las ilustraciones con las expresiones del banco de actividades.

Banco de actividades

1. practicar deportes
2. hablar por teléfono
3. ayudar en casa
4. ver la tele
5. salir con los amigos
6. hacer recados
7. tomar la merienda
8. ir a clases particulares
9. usar el ordenador
10. ir al cine
11. ir a un concierto
12. dar un paseo
13. comer fuera
14. ir a una discoteca
15. ver partidos
16. dar una vuelta (en coche, moto, bicicleta...)
17. hacer deberes
18. asistir a fiestas

Ⓐ

Ⓑ

Ⓒ Ⓓ

Ⓔ

AYUDA ORTOGRÁFICA:

Palabras con tilde o sin tilde, juntas o separadas pero con distinto significado:

Forma	Función	Ejemplo
por qué	Dos palabras: preposición + interrogativo o exclamativo.	*¿**Por qué** no viniste a clases ayer?*
porque	Una palabra: conjunción con valor causal.	*No fui **porque** estaba enfermo.*
porqué	Una palabra: sustantivo (= "motivo, razón").	*No comprendo el **porqué** de tu conducta.*

5. Completa las oraciones con la forma adecuada.

a. Suspendió los exámenes ____________ no había estudiado.

b. ¿Sabes ____________ no hay clases el viernes?

c. Algún día entenderé el ____________ de tu conducta..

...Y REPASAMOS LA GRAMÁTICA

El pretérito pluscuamperfecto y la idea de anterioridad

Formación del pretérito pluscuamperfecto: verbo **haber** + participio pasado.		
(Yo)	había	+ participio pasado
(Tú)	habías	
(Él, ella, usted)	había	
(Nosotros/-as)	habíamos	
(Vosotros/-as)	habíais	
(Ellos, ellas, ustedes)	habían	

Formación del participio pasado
Verbos en **–ar** → **–ado**
caminar → *caminado*
Verbos en **–er** → **–ido**
comer → *comido*
Verbos en **–ir** → **–ido**

Participios irregulares:

ver → *visto* decir → *dicho* hacer → *hecho* romper → *roto*
escribir → *escrito* volver → *vuelto* poner → *puesto* morir → *muerto*
abrir → *abierto* descubrir → *descubierto*

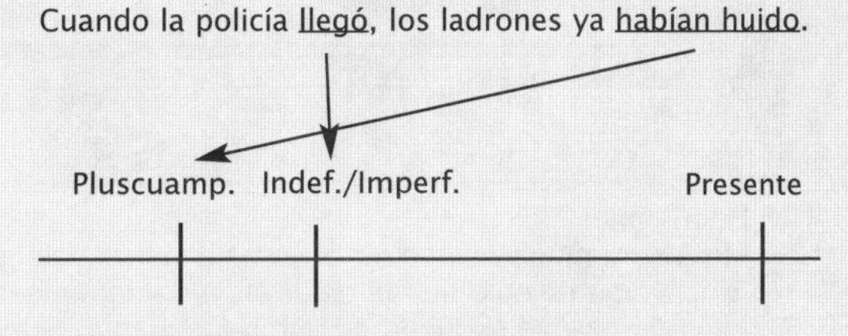

Usos: El pretérito pluscuamperfecto hace referencia a circunstancias y acciones pasadas, anteriores a otro hecho pasado.

Ejemplo: *Cuando la policía **llegó**, los ladrones ya **habían huido**.*

El pluscuamperfecto se puede sustituir por el pretérito indefinido sólo cuando el contexto deja claro que la acción es anterior.

*Se puso el anillo que él **le había regalado**. = Se puso el anillo que él **le regaló**.*

Pero: *Cuando llegamos al cine la película **ya había empezado**. ≠ Cuando llegamos al cine la película **empezó** (llegamos al cine y a continuación empezó la película).*

6. Completa las noticias utilizando el pretérito indefinido, el perfecto o el pluscuamperfecto.

Ejemplo: El 3 de noviembre los periódicos *anunciaron* (anunciar) que Bush *había ganado* (ganar) las elecciones.

a. Hoy por la mañana el mundo ________________ (enterarse) de que Arafat, el líder palestino, ________________ (fallecer) anoche.

b. Esta mañana yo ________________ (leer) que los palestinos ________________ (elegir) a Abas como su nuevo presidente.

c. Ayer, el presidente de Chile, Ricardo Lagos, ________________ (recibir) el informe que la Comisión Nacional sobre Detención Política y Tortura ________________ (escribir) sobre la dictadura de Pinochet. Para el informe, la Comisión ________________ (recoger) testimonios de 35.000 personas que ________________ (ser) torturadas.

ESCRIBIMOS EL BORRADOR

7. Escribe en tu cuaderno algunas noticias que hayas leído u oído últimamente sobre los siguientes temas. Utiliza algún pretérito y/o el pluscuamperfecto.

1. Política: ______________________________
2. Deportes: ______________________________
3. Cultura: ______________________________
4. Chismes de Hollywood: ______________________________

8. Observa este correo electrónico.

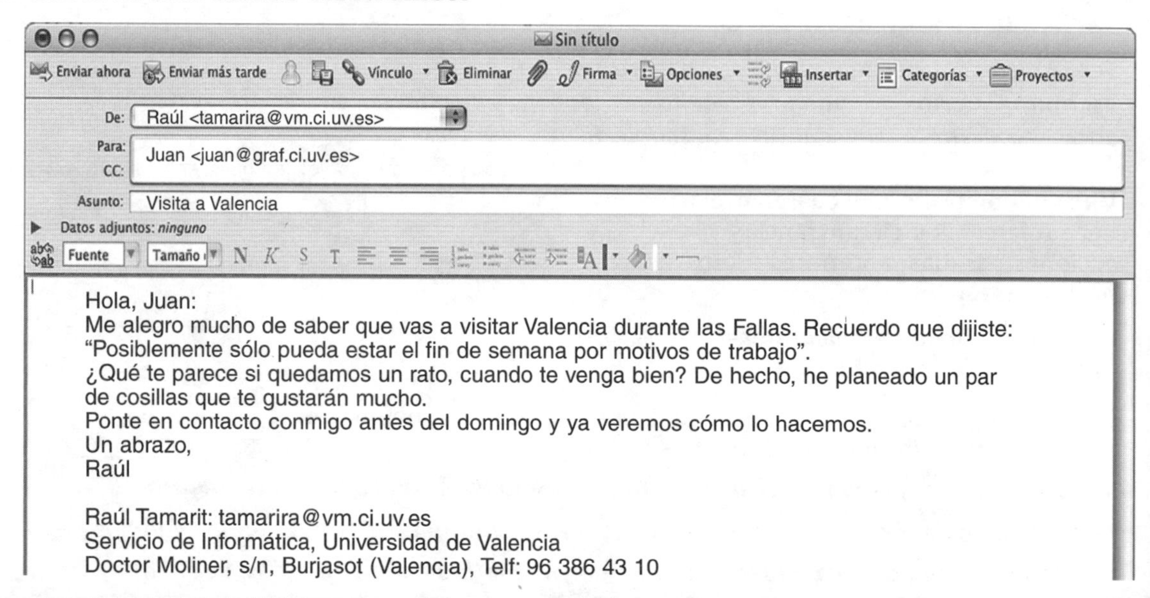

Sin título

Enviar ahora | Enviar más tarde | Vínculo | Eliminar | Firma | Opciones | Insertar | Categorías | Proyectos

De: Raúl <tamarira@vm.ci.uv.es>
Para: Juan <juan@graf.ci.uv.es>
CC:
Asunto: Visita a Valencia
Datos adjuntos: *ninguno*
Fuente | Tamaño

Hola, Juan:
Me alegro mucho de saber que vas a visitar Valencia durante las Fallas. Recuerdo que dijiste: "Posiblemente sólo pueda estar el fin de semana por motivos de trabajo".
¿Qué te parece si quedamos un rato, cuando te venga bien? De hecho, he planeado un par de cosillas que te gustarán mucho.
Ponte en contacto conmigo antes del domingo y ya veremos cómo lo hacemos.
Un abrazo,
Raúl

Raúl Tamarit: tamarira@vm.ci.uv.es
Servicio de Informática, Universidad de Valencia
Doctor Moliner, s/n, Burjasot (Valencia), Telf: 96 386 43 10

En la actualidad solemos comunicarnos con nuestros amigos y familiares mediante mensajes de correo electrónico. En ellos, a menudo, contamos una noticia, pedimos información, saludamos, etc.

Los mensajes personales de correo electrónico se caracterizan por:

- su brevedad;
- tienen uno o múltiples destinatarios;
- pueden enviarse con copia y reenviarse;
- pueden llevar un tema o asunto como título;
- tienen un remitente;
- están fechados;
- utilizan un lenguaje informal;
- están firmados.

9. Ahora escríbele un correo electrónico a un familiar en donde le cuentes alguna anécdota simpática o curiosa.

____

____

Y CORREGIMOS LA TAREA FINAL

10. Escríbele un correo electrónico a un amigo contándole algo divertido que te ha ocurrido en vacaciones. Utiliza el vocabulario de tiempo libre de esta unidad, contrasta los pasados e indica anterioridad.

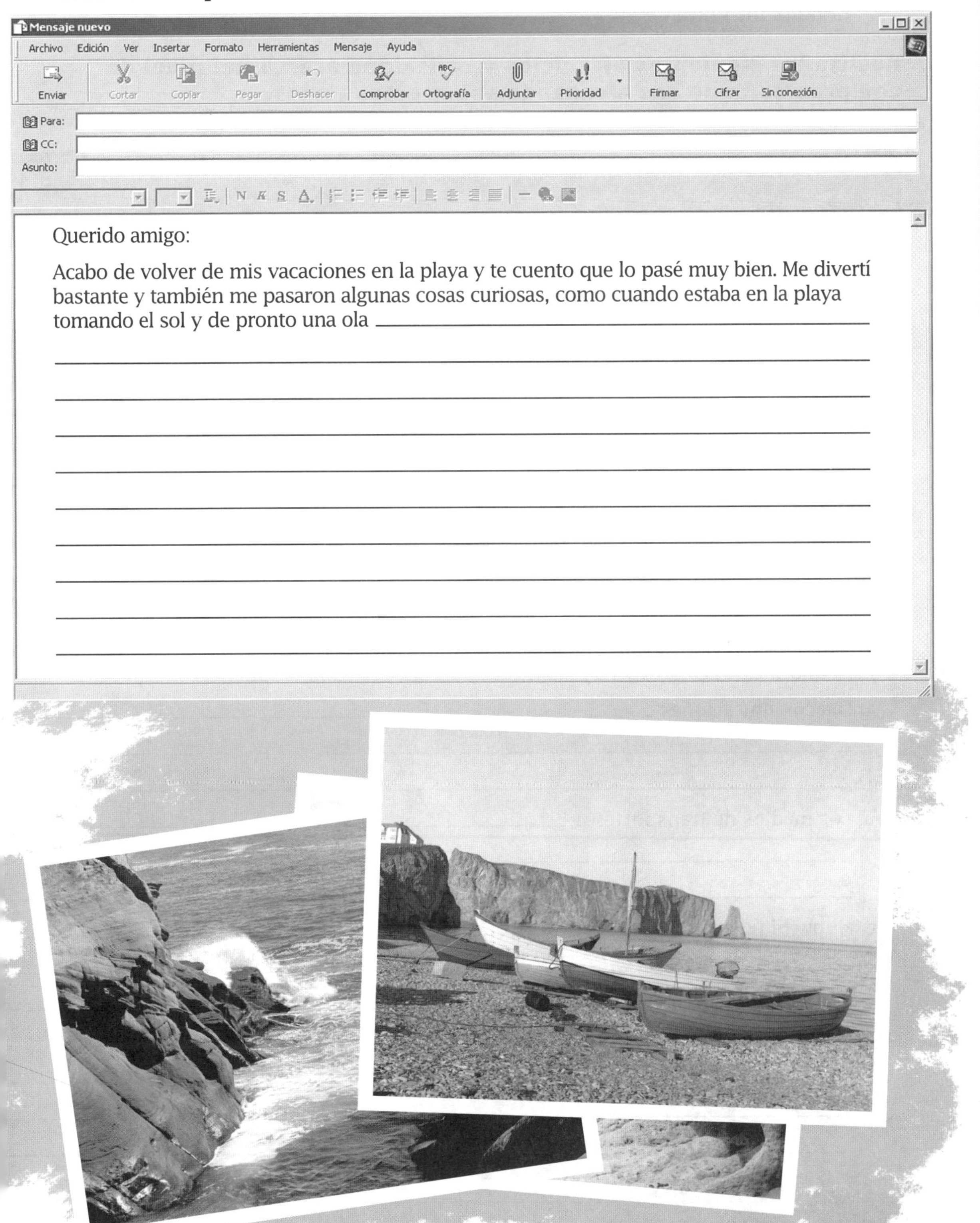

Mensaje nuevo

Archivo Edición Ver Insertar Formato Herramientas Mensaje Ayuda

Enviar Cortar Copiar Pegar Deshacer Comprobar Ortografía Adjuntar Prioridad Firmar Cifrar Sin conexión

Para:

CC:

Asunto:

Querido amigo:

Acabo de volver de mis vacaciones en la playa y te cuento que lo pasé muy bien. Me divertí bastante y también me pasaron algunas cosas curiosas, como cuando estaba en la playa tomando el sol y de pronto una ola ______________________________

____

____

____

____

____

____

____

____

BLOQUE 2

EVALÚA TU PROGRESO

Al terminar este bloque has aprendido a:

- Contrastar presente y pasado.
- Describir circunstancias.
- Contar anécdotas.
- Relatar un viaje.

Realiza los siguientes ejercicios y reflexiona acerca del nivel de comprensión que has alcanzado sobre estos temas.

1. Piensa en varias cosas que han cambiado en tu vida y escríbelas contrastando el pasado con el presente.

Ejemplo: *Cuando era niño* ***vivíamos*** *en un piso, pero ahora* ***vivimos*** *en una casa.*

a. ______________________________

b. ______________________________

c. ______________________________

d. ______________________________

e. ______________________________

f. ______________________________

2. Todo cambia rápidamente. Piensa en estos temas y formula qué cambios crees que han sucedido en los últimos diez años.

Ejemplo: La televisión. *Antes la televisión era en blanco y negro y había muy pocos canale pero ahora es en colores y hay cientos de canales por cable y satélite.*

a. Las comunicaciones ______________________________

____

____

b. Los medios de transporte. ______________________________

____

____

c. Mi pueblo o ciudad.______________________________

____

____

d. Mi forma de vida.______________________________

____

____

____

3. ¿Cómo ocurrió?

¿Recuerdas cómo ocurrieron estas cosas en tu vida? Intenta recordarlo e indica las circunstancias en las cuales se produjeron.

Ejemplo: ¿Cómo conociste a tu mejor amigo? *Yo estaba en un café estudiando para una prueba de matemáticas. Hacía unos ejercicios y necesitaba una calculadora. Un chico que estaba enfrente de mí tenía una y se la pedí. Resulta que ese día nos pusimos a conversar y terminamos siendo muy buenos amigos.*

a. Tu primer beso de amor. ______________________________

____

____

____

b. Cuando obtuviste tu carné de conducir. ______________________________

____

____

____

c. Tu primer día en la universidad. ______________________________

____

____

____

4. ¿Recuerdas cuál ha sido el día más feliz de tu vida, tus mejores vacaciones o tu mejor viaje? Escribe sobre ello y señala qué ocurrió, cuándo fue, adónde fuiste, con quién fuiste, qué hiciste y por qué lo pasaste tan bien.

____

____

____

____

____

____

____

____

____

BLOQUE 3

unidad 7

DE INTERNET Y OTROS DEMONIOS

OBJETIVOS

- **Objetivos comunicativos:**
  Expresar una opinión. Escribir textos sencillos sobre experiencias personales.
- **Vocabulario:**
  Fórmulas para opinar: en mi opinión, (no) creo que, (no) me parece que, considero que, pienso que, (no) estar de acuerdo con, etc. Vocabulario de Internet.
- **Gramática:**
  Subjuntivo (1): formas y funciones del presente de subjuntivo. Contraste entre indicativo y subjuntivo.
- **Tipo de texto:**
  Blog (cuaderno de bitácora).
- **Tarea:**
  Redactar una opinión personal sobre un tema de interés.

1. Observa estas fotografías. ¿Qué temas te sugieren?

A

B

C

D

2. ¿Sobre qué temas escribes normalmente?

3. Escoge una fotografía y expresa una breve opinión sobre el tema que te sugiere.

NOS PREPARAMOS PARA ESCRIBIR

4. Lee el texto siguiente.

Bruce Lee, es, en mi opinión, no solo el más grande karateca de todos los tiempos, sino también un icono del cine hollywoodense de la década de los 70.
En estos días es noticia porque van a dedicarle sendas estatuas, una en Hong Kong, y otra en Mostar. La primera el 27 de noviembre, coincidiendo con su 65º aniversario, en la Avenida de las Estrellas de Hong Kong. Para su diseño se ha contado con la opinión de los fans, que también han sido los encargados de recaudar los fondos (1,2 millones de dólares de HK) para esculpir la estatua, de dos metros y medio de altura. Al final ha ganado un diseño basado en la película
Fist of Fury, que podéis ver en este mismo blog. ¿Estás de acuerdo con esta iniciativa? Señala tu opinión.

5. ¿Lo has entendido? ¿Qué tipo de texto es: una noticia, una opinión, una información, una combinación de varios tipos?

____

6. ¿Sabes qué es un *blog*? ¿Has oído hablar de este tipo de textos? Intenta explicar lo que sabes de ellos.

____

7. Ahora, lee este otro texto.

Un *blog* o cuaderno de bitácora (rememorando el documento en el que el capitán de un barco anotaba las incidencias del viaje) es una página personal de Internet, fácil de crear y de actualizar. Por lo general, está hecha de textos cortos acompañados de imágenes y enlaces a otros sitios. A la manera de un diario, los textos se actualizan y publican cronológicamente.

Prácticamente hay *blogs* sobre cualquier tema: personales, de noticias, literarios, religiosos, de tecnología, de comida, etc. Informaciones recientes señalan que en el mundo se crea un *blog* o bitácora cada segundo. Se recurre a ellos como fuente de información alternativa y se fomentan, especialmente, los *blogs* de contenido social, porque incentivan el debate entre los usuarios. La revolución que implica la aparición de los *blogs*, sin embargo, va más allá de su masificación. Su verdadera importancia radica en que para publicar en la red ya no se necesita de la intervención de técnicos o diseñadores de páginas web, ni grandes inversiones de dinero. De hecho, no se necesita dinero en absoluto. Cualquier persona que quiera decir algo y hacerlo público puede hacerlo cuando quiera, desde donde quiera, de forma gratuita y con sólo unos pocos "clicks".

8. Explica con tus propias palabras lo que entiendes por *blog*.

____

____

9. ¿Cuál es el aspecto más importante de este nuevo fenómeno de Internet, según el texto?

____

____

AMPLIAMOS EL VOCABULARIO...

A. Observa las siguientes formas de introducir una opinión o punto de vista:

- A mi parecer...
- Considero que...
- Creo que...
- Desde mi punto de vista...
- Digo que...
- En mi opinión...
- Me parece que...
- Pues, yo opino que...
- Según lo veo yo...

B. En la red, es frecuente encontrar un vocabulario nuevo para referirse a herramientas, funciones o espacios propios de esta tecnología. Estos son algunos términos frecuentes:

- Virus
- Portal
- Web
- Antivirus
- Internet
- Enlace
- Sitio web
- Vínculo
- Página web

10. Utiliza alguna de la expresiones de A para dar una breve opinión sobre los siguientes temas.

Ejemplo: El boxeo. ***En mi opinión*** *el boxeo es un deporte demasiado violento.*

a. La televisión. ____

____

b. La música rap. ____

____

c. Los ordenadores. ____

____

11. Ahora asocia los conceptos de la columna izquierda con las definiciones de la columna derecha.

1. Web	a) Código de programación disfrazado como documento, que genera un daño inesperado en el ordenador.
2. Sitio web	b) Conjunto de archivos electrónicos y paginas web referentes a un tema en particular.
3. Internet	c) Documento electrónico que contiene información específica de un tema en particular, almacenado y conectado a Internet para su consulta.
4. Página web	d) Universo de información accesible a través de Internet. Fuente inagotable del conocimiento humano.
5. Virus	e) Sistema mundial de redes de computadoras, integradas por las redes de cada país, por medio del cual un usuario, desde cualquier computadora, puede acceder a la información disponible.

...Y REPASAMOS LA GRAMÁTICA

Los modos verbales del español

En español existen tres modos verbales: el indicativo, el subjuntivo y el imperativo. El modo verbal no debe confundirse con el tiempo verbal. Para entenderlo mejor, observa el siguiente cuadro:

Modo indicativo	Modo subjuntivo	Modo imperativo
Con el modo indicativo emitimos enunciados.	El modo subjuntivo se usa para expresar la subordinación.	Con el modo imperativo emitimos órdenes.
Presente: *Carlos **es** peruano.* Imperfecto: *Antes yo **era** más deportista.* Indefinido: *Ayer **vi** una película.* Futuro: *El próximo año **iré** a Europa.* Condicional: *Me **gustaría** salir contigo.** Tiempos perfectos: *Hoy **ha sido** un día normal.*	Presente: *Me alegra que **estés** bien.* Imperfecto: *Me pidió que lo **esperara**.* Tiempos perfectos: *Celebramos que **hayáis ganado.***	Registro informal: *Llámame. / No me llames.* Registro formal: *Llámeme. / No me llame.*

*El condicional, en ocasiones, se considera un modo en lugar de un tiempo.

Uso del modo subjuntivo

En general, el modo subjuntivo se emplea en las oraciones subordinadas.

En concreto, el subjuntivo se emplea:

- Con verbos que expresan la influencia de un sujeto sobre otro, como querer, necesitar, recomendar, aconsejar, permitir, prohibir, pedir, exigir, etc: *Te **aconsejo** que **hagas** más deporte.*
- Con verbos que expresan sentimientos o emociones, como gustar, molestar, encantar, fascinar, dudar, agradecer, etc.: ***Me encanta** que mi novio me **regale** flores.*
- Con los verbos de entendimiento, lengua y percepción (saber, creer, suponer, ver, oír, darse cuenta, decir, contar, opinar, etc.), pero sólo si están en forma negativa: ***No creo** que **sea** tan difícil entenderlo.* En forma afirmativa se emplea el indicativo: ***Creo** que **es** difícil entenderlo.*

Formas del presente de subjuntivo:

	Verbos en -ar	Verbos en -er	Verbos en -ir
yo	habl**e**	com**a**	viv**a**
tú	habl**es**	com**as**	viv**as**
él, ella, usted	habl**e**	com**a**	viv**a**
nosotros/-as	habl**emos**	com**amos**	viv**amos**
vosotros/-as	habl**éis**	com**áis**	viv**áis**
ellos, ellas, ustedes	habl**en**	com**an**	viv**an**

Algunos verbos irregulares:

ser: sea, seas, sea, seamos, seáis, sean.

estar: esté, estés, esté, estemos, estéis, estén.

ir: vaya, vayas, vaya, vayamos, vayáis, vayan.

ESCRIBIMOS EL BORRADOR

12. Pon los verbos entre paréntesis en subjuntivo (si se expresa influencia, emoción, duda, deseo o negación) o en indicativo, según se requiera.

Una compañera de cuarto difícil

Comparto el apartamento con una chica muy mandona. Constantemente me pide que __________ (hacer) tal cosa, que (yo) no__________ (dejar) de hacer la otra, que me __________ (acordar) de hacer algo más. Me prohíbe que __________ (tocar) sus discos y no me permite que __________ (usar) su computadora. Me molesta que ella se __________ (creer) superior a mí. ¡A veces hasta interfiere en mi vida sentimental! Me aconseja que no __________ (llamar) a mi novio todos los días y me sugiere que (yo) lo __________ (poner) celoso y que __________ (salir) también con otros chicos. Mis amigos conocen la situación y se admiran de que yo no me __________ (mudar) de apartamento. Sin embargo, dudo que __________ (poder) aguantar mucho más. Estoy segura de que me __________ (ir) pronto.

13. Ahora mira estos anuncios publicitarios. ¿Qué te parecen? ¿Prohibirías alguno? ¿Por qué?

Viste el invierno de calor

PARA MUJERES COMO TÚ

Siéntete libre

14. Escribe un borrador con tu opinión sobre alguno de estos anuncios. Utiliza las expresiones de la lista para dar tu opinión y cuida la gramática.

Expresiones:

En mi opinión, este anuncio...
(No) me parece... / (No) considero... / Opino que...
Estoy de acuerdo... / Desde luego... / Por supuesto...
Puede ser... / Depende... / Yo diría...

____

____

____

____

Y CORREGIMOS LA TAREA FINAL

15 Piensa en algún tema de tu propio interés y escribe tu opinión a modo de diario personal, como en un *blog* de Internet. Utiliza el vocabulario y la gramática aprendida en la unidad.

el BLOG

http://www.elblog.com/

____

____

____

____

____

____

____

____

____

____

____

____

____

____

____

____

____

____

____

____

____

____

____

2 0 0 6

Enero
Febrero
Marzo
Abril
Mayo
Junio
Julio
Agosto
Septiembre
Octubre
Noviembre
Diciembre

RECIENTES

25	24	23	22
21	20	19	18
17	16	15	14
13	12	11	10

DICE QUE...

OBJETIVOS

- **Objetivos comunicativos:**
  Contar, repetir y resumir lo dicho por otros y por uno mismo.
- **Vocabulario:**
  Verbos y vocabulario relacionado con la transmisión de información (decir, contar, pedir, preguntar, dejar mensajes, etc.).
- **Gramática:**
  Subjuntivo (2): presente de subjuntivo para transmitir mandatos y peticiones.
- **Tipo de texto:**
  Notas, resúmenes y mensajes.
- **Tarea:**
  Resumir parte de un hecho y dar nuestra opinión.

1. Observa la fotografía. ¿Qué hace esta mujer? ¿Con quién habla? ¿Qué escribe?

2. Responde estas preguntas.

a. ¿Con quién hablas tú normalmente por teléfono?

____

____

b. ¿Sabes dejar o transmitir un mensaje telefónico?

____

____

c. ¿Te pones nervioso cuando dejas un mensaje en el contestador?

____

____

NOS PREPARAMOS PARA ESCRIBIR

3. Situación: has encontrado este mensaje en tu contestador automático.

*Hola Marcelo, soy Carlos.
Sabes que mañana terminaremos las obras del cuarto de Camila, la vecina a la que estamos ayudando, y ya no nos va a hacer falta el taladro que nos trajiste. Esta semana no podemos movernos de aquí, pero la semana que viene iremos a tu casa para llevártelo, antes de irnos de vacaciones.
Yo pienso que es mejor que esté ahí, porque podéis necesitarlo tu familia o tú.
Si lo necesitas antes, puedes venir a buscarlo.
¿Vale? Pues eso es todo.
Saludos y hasta pronto.*

4. Intenta escribir el mensaje para Marcelo, tu compañero de piso. Cuenta por escrito todo lo que dice. Recuerda que estás en tu casa.

Marcelo:

Ha llamado Carlos. Dice que mañana terminarán las obras del cuarto de Camila, y que ya no le va a hacer falta el taladro que le prestaste. Dice también que ______________________________

____

____

____

____

____

____

____

____

____

____

AMPLIAMOS EL VOCABULARIO...

5. Los siguientes verbos son útiles para resumir hechos o fragmentos de conversaciones. Léelos con atención y luego observa el ejemplo.

saludar	poner excusas	quejarse
pedir	convencer	confesar
pedir un favor	insistir	regañar
pedir perdón / disculpas	comentar	despedirse
disculparse	dar la razón	invitar
dar las gracias	reconocer	felicitar
agradecer	admitir	

Ejemplo:

– ¡Javier, hombre! ¿Qué tal?

▪ Muy bien, ¿y tú?

– Pues ahí vamos. ¿Y el trabajo?

▪ Bien, con las cosas de siempre, pero bien.

– Pues nada, me alegro de verte. A ver si nos vemos algún día y nos tomamos algo, ¿no? Es que ahora tengo prisa.

▪ Claro, te llamo para quedar.

– Vale, pues nos hablamos, ¿eh?

▪ Bien, hasta luego.

....

– ¿Sabes qué? El otro día **me encontré** con Javier en la calle.

▪ Ah, ¿sí? ¿Y qué te dijo?

– Nada, **me saludó** y se fue corriendo.

6. En los siguientes grupos de verbos y expresiones hay uno que sobra. Di cual y por qué.

a. decir – contar – pedir – preguntar

____

b. saludar – despedirse – felicitar – regalar

____

c. disculparse – pedir perdón – poner excusas – comentar

____

...Y REPASAMOS LA GRAMÁTICA

El subjuntivo

El contexto temporal en el que se sitúan los hechos que relatamos produce algunos cambios en la correlación verbal de los tiempos. Cuando lo que referimos de otro es una petición o un mandato utilizamos el subjuntivo. Observa estos ejemplos:

Tiempo original	**Damos el mensaje cuando todavía es válido.**
Alguien dice:	
"Ven a mi casa".	Dice que vayas a su casa.
"Dame un cigarrillo".	Dice que le des un cigarrillo.
"Sólo te pido este favor".	Dice que sólo te pide ese favor.

7. Inténtalo tú haciendo los cambios necesarios según el contexto.

a. "Compra pan, por favor". Dice que compres pan, por favor.
b. "Regálame un libro". ____________________
c. "Vete a casa". ____________________
d. "Cuéntame un chiste". ____________________
e. "Siéntate". ____________________
f. "Consigue un trabajo". ____________________
g. "Intenta comer más sano". ____________________

Palabras similares con diferente significado

Forma	Función	Ejemplo
a sí mismo	Preposición + pronombre reflexivo + adjetivo.	*Se hizo daño a sí mismo.*
así mismo	Adverbio de modo + adjetivo.	*Déjalo así mismo.*
asimismo	Adverbio de afirmación (significa: "también", "además").	*Asimismo, con el pedido añadimos la factura.*

8. Utiliza la forma adecuada según la explicación anterior.

a. Juan, al único que engaña es ____________
b. Tendrás que venir a trabajar el sábado y el domingo. ____________ el lunes abriremos la tienda más temprano.
c. Me gusta este lugar como está. Yo lo dejaría ____________

ESCRIBIMOS EL BORRADOR

9. Intenta reconstruir el diálogo original al que se refiere el siguiente resumen. Fíjate en los verbos en negritas que se utilizan.

¿Sabías que al final ***me encontré*** con Julia? Pues nada, ***le pedí disculpas*** por no haberle conseguido las entradas y no te puedes imaginar cómo se puso; ***se enfadó*** muchísimo, y yo intentando contarle lo que había pasado. Y de pronto, le cambió la cara, ***me dio las gracias*** por haberlo intentado y ***se despidió*** tan normal. Y cuando se iba, incluso me felicitó por mi cumpleaños. Total, que no hay quién la entienda.

Y CORREGIMOS LA TAREA FINAL

10. Escribe un resumen de este diálogo utilizando los verbos y el vocabulario que has estudiado en esta unidad. Además, añade tu opinión sobre el hecho que se constata.

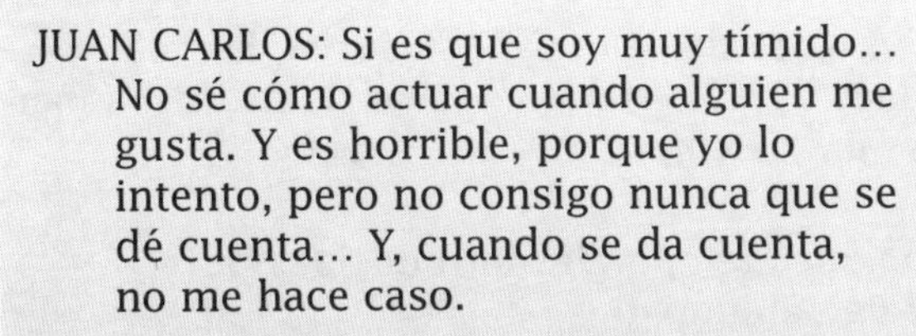

JUAN CARLOS: Si es que soy muy tímido... No sé cómo actuar cuando alguien me gusta. Y es horrible, porque yo lo intento, pero no consigo nunca que se dé cuenta... Y, cuando se da cuenta, no me hace caso.

TÚ: Es verdad, pero no te pongas así. Vamos a ver, ¿te gusta alguien ahora?

JUAN CARLOS: Pues sí... Ahora estoy loco por una chica de mi clase de inglés, alta, muy rubia y muy tímida, que cada vez que la veo...Oye, ¿por qué no le dices tú algo a ver si se fija en mí? No sé, alguna indirecta... ¡Anda, hazlo por mí!

TÚ: Mira, estas cosas tiene que hacerlas uno mismo, no puede dejárselas a nadie.

JUAN CARLOS: Vamos, ¿qué te cuesta? Solo le dices que...

TÚ: Que no. Mira, convéncete: si no te decides, nunca lo conseguirás.

JUAN CARLOS: Bueno. Quizás tengas razón. Lo voy a intentar. ¿Qué te parece si la llamo por teléfono y la invito a algo?

TÚ: ¡Genial!

____
____
____
____
____
____
____
____
____
____
____
____
____
____

BLOQUE 3

unidad 9

LA VIDA DIARIA

OBJETIVOS

- **Objetivos comunicativos:**
  Referirse a hechos cotidianos y temas de actualidad. Describir actividades y rutinas diarias. Hablar de pasatiempos.
- **Vocabulario:**
  Pasatiempos y actividades de ocio. La vida social, la vida nocturna. Expresiones útiles (aspirar a, echar de menos, soñar con, acostumbrarse a...). Expresiones de frecuencia.
- **Gramática:**
  Subjuntivo (3). Oraciones temporales introducidas por *cuando* + presente de subjuntivo.
- **Tipo de texto:**
  Breve informe sobre acciones habituales.
- **Tarea:**
  Escribir un informe breve, en formato convencional, sobre hábitos personales y hechos habituales.

1. Observa las imágenes. Estas personas disfrutan de la lectura. Imagina dónde están leyendo y qué tipo de lectura es.

2. ¿Lees tú con frecuencia? ¿Qué tipo de textos sueles leer?

3. ¿Qué te gusta leer? ¿Dónde lees normalmente? Escríbelo y explica tus hábitos de lectura.

NOS PREPARAMOS PARA ESCRIBIR

4. Lee esta carta que Mario, en Seattle, le escribe a su amiga Claudia, en Buenos Aires. Observa cómo relata sus actividades cotidianas y fíjate en el vocabulario y la gramática destacados en negritas.

Hola, Claudia:

¿Qué tal estás? Yo estoy muy bien, la verdad es que me encanta Seattle. Llevo dos meses aquí y siento que **me estoy acostumbrando** a mi nueva vida poco a poco. Tengo mi propio apartamento, estoy muy a gusto en mi trabajo y hasta he hecho algunos amigos...

Aquí hay muchas cosas distintas, como el clima: llueve muy a menudo y no hace tanto calor como en Buenos Aires. Pero no me importa, me gusta la lluvia. La comida también es algo diferente. Conozco un pueblecito de pescadores precioso, con un restaurante que está muy bien de precio y es muy bueno. Tiene vistas al mar y me gusta ir a comer allí los fines de semana. Aquí he probado algunas clases de mariscos que no había comido nunca, aunque **echo de menos** la carne argentina (a veces **sueño con** comerme un bife de chorizo y unas empanadas fritas). **Cuando vuelva** a Argentina me voy a comer todas la empanadas que encuentre.

Una cosa que **me da un poco de lata** es que, por mi trabajo, tengo que viajar para hablar con mucha gente de pueblos pequeños alrededor de Seattle y a veces me cuesta entender lo que dicen, porque tienen un acento muy variado... Pero no me importa. ¡Incluso **aspiro a** aprender a hablar como ellos! Por cierto, los pueblos y ciudades de esta zona son preciosos y el paisaje es tan bonito... Es como me imaginaba, lleno de bosques y prados verdes. Te gustaría mucho. Oye, ¿por qué no vienes a verme estas vacaciones? El apartamento es muy grande y te puedes quedar todo el tiempo que quieras. Si vienes podremos ir a visitar alguno de los pueblos del interior y también ir a la playa, que no está muy lejos. Piénsalo y escríbeme pronto, que **tengo ganas** de saber **qué tal te va. Cuando vaya** a Buenos Aires para Navidades lo podemos planear, ¿vale?

Un abrazo,

Mario

5. Lee de nuevo y fíjate en las expresiones en negrita de la carta. Luego relaciona un elemento de cada columna.

a. Aspiro a...	▪ Tengo muchas ganas de...
b. Echo de menos...	▪ Pretendo conseguir...
c. Sueño con...	▪ Me estoy habituando a...
d. Me estoy acostumbrando a...	▪ Me falta, siento nostalgia...

6. ¿Has observado las construcciones con subjuntivo: *cuando vuelva..., cuando vaya...?* ¿Podrías señalar la diferencia de significado con las construcciones con indicativo: *cuando vuelvo..., cuando voy...?*

7. Imagina que te has mudado a otra ciudad o piensa en tu experiencia real. Luego, escribe una carta a un amigo en la que le cuentes cómo es tu vida diaria en esa ciudad. Incluye pistas de las que se pueda deducir el lugar de origen y/o destino sin necesidad de nombrar el sitio (sólo incluye el nombre al final).

AMPLIAMOS EL VOCABULARIO...

8. Completa el texto sobre lo que hacen Jorge y Francisca los lunes por la mañana con la forma correcta de los verbos del recuadro. Estos verbos se utilizan para describir acciones habituales.

acostarse (x 2) – ducharse – secarse – afeitarse – irse
quitarse – vestirse – despertarse – levantarse

Los domingos por la noche, Jorge y Francisca ____________ tarde, aproximadamente tres horas después de cenar. Antes de ____________, leen el periódico, se cepillan los dientes y preparan la ropa del lunes. Por la mañana tardan mucho en ____________. Jorge es el que ____________ primero, ____________ el pijama y ____________ con agua fría. Después de unos minutos, entra en el cuarto de baño Francisca, y Jorge ____________ la barba y el bigote. Mientras Francisca termina de ducharse y de ____________ el pelo, Jorge prepara el desayuno. Después los dos van a la habitación, ____________ con ropa bastante formal y ____________ a sus trabajos.

9. ¿Y tú? Piensa en lo que haces normalmente y responde por escrito, en oraciones completas, las siguientes preguntas.

a. ¿A qué hora te despiertas normalmente los domingos? ¿Por qué?

____

b. ¿A qué hora te acuestas normalmente los fines de semana?

____

c. ¿Qué sueles hacer los fines de semana? ¿Dónde te gusta ir?

____

d.¿Qué te pones para salir los fines de semana?

____

e. ¿Cuándo te vistes de forma elegante?

____

f. ¿De qué os quejáis tus amigos o tú normalmente?

____

...Y REPASAMOS LA GRAMÁTICA

Oraciones temporales con indicativo y subjuntivo

A diferencia de la estructura "*cuando* + presente de indicativo", que sirve para expresar habitualidad, la construcción "*cuando* + presente de subjuntivo" sustituye al futuro de indicativo en las oraciones subordinadas.

Observa la tabla y fíjate en los elementos para referirse al futuro (lo no realizado todavía) y en aquellos para referirse al presente (como habitualidad) o al pasado (como experiencia).

Expresar habitualidad o experiencia	Referirse al futuro
Cuando / En cuanto + presente/indefinido de indicativo.	***Cuando / En cuanto*** + presente de subjuntivo. ***Antes de que / Después de que*** + presente de subjuntivo.
Normalmente vamos de compras ***cuando tengo*** *tiempo.* ***En cuanto llegué*** *a casa, vi la ventana rota.*	*Iremos de compras* ***cuando tenga*** *tiempo.* ***En cuanto llegue*** *a casa arreglaré la ventana.* *Vete a casa* ***antes de que se enfade.*** *Échale la* ***sal después de que hierva*** *el agua.*

Fíjate en que no se puede usar "*cuando* + futuro".

Por ejemplo, no se puede decir: **Cuando* ***iré*** *a España, compraré muchas cosas.*

La forma correcta es: *Cuando* ***vaya*** *a España, compraré muchas cosas.*

10. Contesta las frases según el modelo, utilizando *cuando* + subjuntivo.

Ejemplo: *No tengo tiempo para escribir cartas.*

Bueno, escríbelas cuando tengas tiempo.

a. No puedo ir al banco. No he terminado con el informe.

____

b. No puedo pagarte. No tengo dinero.

____

c. No podemos acompañarte. Carlos aún no ha llegado.

____

d. No he comprado el periódico. Aún no he salido a la calle.

____

e. No puedo hablarte sobre este libro. Aún no lo he leído.

____

ESCRIBIMOS EL BORRADOR

11. Lee las rutinas de estas tres personas. ¿A quién crees que corresponde cada descripción?

1. Ricardo González, 40 años, taxista.

A. En general duermo muy poco. Me levanto a las ocho y media o a las nueve menos cuarto. Las clases empiezan a las diez y muchas veces llego tarde. A mediodía, normalmente almuerzo con mis compañeros de clase en el bar de la Facultad y a las tres volvemos a clase. Terminamos a las cinco o a las seis. Después voy a la biblioteca, pero no todos los días. Por la noche me gusta salir con mis amigos y, claro, nunca me acuesto antes de la una de la madrugada.

2. Carlos Pérez, 58 años, pintor.

B. Eso depende del turno. Cuando trabajo de día, me levanto pronto, a las siete, más o menos. Empiezo a trabajar a las ocho y, normalmente, vuelvo a casa a las seis de la tarde. A las dos paro un rato para comer algo. Si trabajo de noche, salgo sobre las diez. Esos días llego a casa aproximadamente a las siete de la mañana. Me acuesto siempre a una hora diferente. Por suerte, los domingos no trabajo. ¡Es mi único día de descanso! En cuanto me estabilice un poco más, dejaré de trabajar de noche.

3. Laura Delgado, 21 años, estudiante.

C. Depende. Algunos días trabajo muchas horas y otros, casi no trabajo. Eso sí, siempre me levanto tarde, a las diez o las once. Después voy a desayunar y luego doy un paseo. A mediodía vuelvo a casa, como algo y veo la tele un rato. Luego bajo a la calle y empiezo a trabajar. A veces trabajo hasta las nueve o las diez de la noche. Cuando acabo, voy a casa, preparo la cena y leo un poco. Me acuesto a la una o las dos, más o menos. Cuando deje de trabajar, me dedicaré más tiempo a estar con mi familia.

12. Lee otra vez cada descripción y selecciona el vocabulario utilizado para expresar frecuencia, hábitos y acciones cotidianas. Luego piensa en las estructuras que hemos estudiado en esta unidad y observa cómo se emplea la gramática para expresar hábitos e intención de futuro.

13. Piensa en tu propia experiencia y redacta un breve informe sobre tus actividades habituales del fin de semana.

Y CORREGIMOS LA TAREA FINAL

14. Piensa en tus hábitos cotidianos y en tu rutina diaria.

Repasa el vocabulario y la gramática de esta unidad y a continuación redacta un informe breve y sencillo sobre tus rutinas y acciones habituales.

Refiérete entre otras cosas a tu trabajo, los estudios, actividades de ocio, el deporte, tus hábitos de lectura, etc.

EVALÚA TU PROGRESO

Al terminar este bloque has aprendido a:

- Distinguir la subordinación verbal con indicativo y con subjuntivo.
- Expresar una opinión.
- Referirte a temas de actualidad.
- Hacer valoraciones.

Realiza los siguientes ejercicios y reflexiona acerca del nivel de comprensión que has alcanzado sobre estos temas.

1. Rellena la siguiente tabla con los verbos de la lista. Pon cada verbo en la categoría correspondiente.

saber – querer – gustar – creer – necesitar – encantar – suponer – lograr – molestar
sospechar – conseguir – fastidiar – imaginar – hacer – temer – ver – aconsejar
sorprender – oír – recomendar – dudar – contar – permitir – agradecer – opinar
pedir – lamentar – contar – soportar

Verbos de entendimiento, percepción y lengua	Verbos de influencia	Verbos de sentimiento
____________	____________	____________
____________	____________	____________
____________	____________	____________
____________	____________	____________
____________	____________	____________
____________	____________	____________
____________	____________	____________
____________	____________	____________
____________	____________	____________
	____________	____________

2. ¿Con qué categoría de verbos utilizamos el subjuntivo en las oraciones subordinadas?

____

3. ¿Y con qué categoría utilizamos el indicativo?

____

EVALUACIÓN DEL BLOQUE 3

4. Haz oraciones subordinadas utilizando verbos de estas tres categorías (dos oraciones con verbos de cada categoría).

____

____

____

____

____

____

5. Reacciona a los siguientes temas expresando tu opinión.

Ejemplo: *¿Te molesta que la gente fume? – No, no me importa que la gente fume, pero sí me molesta que lo haga en lugares públicos que afectan a los demás.*

1. ¿Qué opinas del boxeo?

____

____

____

2. ¿Qué te parecen los premios Oscar?

____

____

____

3. ¿Qué impresión tienes de tu gobierno?

____

____

____

6. Escribe tu opinión sobre algún hecho de actualidad que te llame la atención. Recuerda hacer valoraciones sobre las cosas que te parecen positivas, negativas o simplemente curiosas.

____

____

____

____

____

____

____

____

LA ENTREVISTA

unidad 10

OBJETIVOS

- **Objetivos comunicativos:**
  Prepararse por escrito para una entrevista.
- **Vocabulario:**
  La actividad profesional; el entorno laboral.
- **Gramática:**
  Pronombres interrogativos: qué y cuál.
- **Tipo de texto:**
  Los cuestionarios y las entrevistas.
- **Tarea:**
  Diseñar un cuestionario y responder una entrevista.

1. Observa la fotografía y responde las preguntas.

a. ¿Sabes qué es una rueda de prensa? ¿Qué se hace en ella?

____

____

b. ¿Has entrevistado alguna vez a alguien?

____

____

c. ¿Te han entrevistado a ti? ¿Cuándo? ¿Cómo? ¿Por qué?

____

____

d. ¿Cómo te sentías?

____

____

NOS PREPARAMOS PARA ESCRIBIR

En unidades anteriores has contestado algunas preguntas de cuestionario. La principal diferencia entre el **cuestionario** y la **entrevista** es que en el primero las preguntas son fijas, mientras que en la segunda dos personas entablan un diálogo que puede ser impredecible.

2. ¿Crees que las entrevistas que lees en los periódicos son espontáneas? ¿Sabías que muchos famosos negocian las preguntas antes de realizar entrevistas?

____

____

3. Lee esta opinión sobre un tipo de entrevistas y pon atención a las palabras marcadas en negritas.

Mi sección favorita del **suplemento dominical** del periódico son las entrevistas a personajes famosos. Me encantan las entrevistas a escritores y directores de cine, porque suelen **arrojar luz** sobre el proceso de creación y sobre la génesis de sus obras.
La calidad de la entrevista, por supuesto, depende de dos personas: el **entrevistado** y el **entrevistador**. Mi amiga Sandra, que trabaja para la televisión y entrevista con frecuencia a cantantes famosos, siempre dice que los artistas **consagrados** y con **muchas tablas** saben cómo hacer entrevistas. Saben mirar a la cámara y extenderse en los momentos necesarios. También saben que facilitan mucho el trabajo a los periodistas si repiten la pregunta del entrevistador.

Los artistas **novatos**, normalmente más jóvenes, dificultan mucho el trabajo al entrevistador, porque contestan **con monosílabos** y no le **dan juego** a la entrevista.

4. Después de leer el texto une las palabras de columna A con la definición correspondiente de la columna B.

A	B
1. El entrevistado.	a) Reconocido, famoso.
2. El entrevistador.	b) Principiante, neófito.
3. El suplemento dominical.	c) Persona que hace la entrevista.
4. Consagrado.	d) Persona que responde a las preguntas.
5. Novato.	e) Contestar únicamente con sí y no.
6. Contestar con monosílabos.	f) Favorecer o ser beneficioso o útil para algo.
7. Dar juego.	g) Sección del diario dedicada a temas culturales.

5. ¿Puedes encontrar en el texto de 3 el antónimo del verbo *facilitar*? ¿Y el de *novato*?

____________________ ____________________

6. Vuelve a leer el texto e intenta definir, con tus propias palabras y según el contexto, las siguientes expresiones:

a. Arrojar luz: ______________________________

b. Tener muchas tablas: ______________________________

AMPLIAMOS EL VOCABULARIO...

7. En el entorno laboral ciertas características de las personas adquieren una mayor valoración. Observa los ejemplos e intenta completar la tabla.

Sustantivos	Adjetivos
Trabajar → capacidad de trabajo	Flexibilidad → persona flexible
Haber trabajado → experiencia laboral	Puntualidad → persona ____________
Organizar → ____________	Motivación → persona ____________
Liderar → ____________	Organización → persona ____________
Iniciar proyectos → ____________	Responsabilidad → persona ____________
Solucionar → ____________	Creatividad → persona ____________
Ambicionar → ____________	Versatilidad → persona ____________

8. Lee con atención esta oferta de trabajo y señala, en la columna de la derecha, las cualidades imprescindibles que debe tener el candidato que busca empleo en esa empresa.

MINTEL S. A.
Empresa nacional líder en el sector de la construcción, con actividad en todo el mundo, selecciona:

UN ARQUITECTO TÉCNICO

Se requiere:
- Experiencia laboral superior a ocho años en el sector y experiencia en trabajo a pie de obra.
- Capacidad de trabajo y dirección de equipos.
- Conocimientos informáticos.

Se ofrece:
- Trabajo estable.
- Buen salario.
- Incorporación inmediata.
- Paquete de beneficios.
- Oportunidades de promoción.

Interesados enviar curriculum vitae a:
recursoshumanos@mintel.es

• Espíritu emprendedor	SÍ	NO
• Conocimiento de idiomas	SÍ	NO
• Habilidades sociales	SÍ	NO
• Vocación comercial	SÍ	NO
• Espíritu de trabajo	SÍ	NO
• Experiencia técnica	SÍ	NO
• Motivación y espíritu de equipo	SÍ	NO
• Capacidad organizativa	SÍ	NO
• Flexibilidad de horario	SÍ	NO
• Disponibilidad inmediata	SÍ	NO
• Ambición e iniciativa	SÍ	NO
• Manejo de ordenadores	SÍ	NO
• Buena presencia	SÍ	NO

...Y REPASAMOS LA GRAMÁTICA

En general, ya conoces bien los pronombres interrogativos y su función. Sin embargo, el uso de **qué** y **cuál** a veces presenta algunas dificultades. Observa.

Diferencias de uso entre *qué* y *cuál*

***Qué* + verbo:**	***Cuál* + verbo:**
▪ Pregunta general: *¿**Qué** haces?* *¿En **qué** piensas?* ▪ También para elegir entre acciones u objetos de diferente clase: *¿**Qué** quieres hacer: ir al cine o salir de fiesta?* *¿**Qué** prefieres: el coche o la moto?*	▪ Elegir entre objetos de la misma clase: *¿De estas dos camisetas **cuál** quieres: la roja o la verde?* *¿Entre estos vestidos **cuál** prefieres, el largo o el corto?*
***Qué* + sustantivo:**	***Cuál* + de + sustantivo en plural:**
▪ Elegir entre objetos de la misma clase: *¿**Qué** libro quieres: el grande o el pequeño?* *¿**Qué** coche te gusta más?*	▪ Elegir entre objetos de la misma clase: *¿**Cuál** de estos libros prefieres?* (No es posible usar *cuál* con un sustantivo en singular.)

- Cuando queremos identificar una cosa o a una persona dentro de un grupo de elementos de la misma categoría, previamente definido, usamos **cuál / cuáles**. Observa:

  ¿Me dejas un libro para leer esta noche?

  *Sí mira, estos dos son muy buenos. ¿**Cuál** prefieres?*

- En preguntas con preposición, ésta se sitúa antes de la partícula interrogativa.

  *¿**A qué** te refieres?*

  *¿**Con quién** estás hablando?*

  *¿**De qué** estás hablando?*

  *¿**En quién** confías más?*

  *¿**A cuál** te refieres?*

  *¿**Contra quién** juega Federer?*

  *¿**Con cuál** de los dos te quedas?*

  *¿**Hacia dónde** te diriges?*

. Completa las preguntas con el interrogativo correcto, qué o cuál/cuáles.

a. ¿__________ actividades de ocio prefieres, las de acción o las más tranquilas?

b. ¿__________ de estos libros estás leyendo ahora?

c. ¿En __________ películas aparece tu actor preferido?

d. Entre estos cuadros, ¿__________ crees que son los mejores?

ESCRIBIMOS EL BORRADOR

10. Roberto Bolaño es un importante escritor chileno, que vivió durante muchos años en España. Lee parte de una entrevista que le hicieron durante una visita a Chile, antes de su muerte en el año 2003. Fíjate en la gramática.

—¿Cuál es el defecto propio que más deplora?
▪ Yo soy una persona llena de defectos y todos son deplorables.
—¿Cómo le gustaría morir?
▪ Haciendo el amor. (En realidad, a cualquiera le gustaría morir así.)
—¿Qué persona viva le inspira más desprecio?
▪ Son muchos y ya soy demasiado viejo como para establecer un ranking.
—¿Cuál es su idea de la felicidad perfecta?
▪ Mi felicidad imperfecta: estar con mi hijo y que él esté bien. La felicidad perfecta, o su búsqueda, engendra inmovilidad o campos de concentración.
—¿Qué talento desearía tener?
▪ Saber tocar la guitarra. Saber jugar al fútbol. Ser un buen jugador de billar.
—¿Cuándo y dónde ha sido más feliz?
▪ Yo he sido siempre feliz. Al menos, razonablemente feliz. Y en lugares y fechas en donde la felicidad no era precisamente lo que más abundaba.
—¿Dónde desearía vivir?
▪ Si tuviera mucho dinero, en Andalucía, sin escribir ni hacer nada, pasarme el día en los bares y conversando.
—¿Cuál es su pasatiempo favorito?
▪ Ver vídeos hasta las cinco de la mañana.

11. Ahora responde tú a la misma entrevista que le hicieron a Bolaño. Fíjate en las preguntas del cuestionario y piensa en tus respuestas. Luego escríbelas. ¿Te pareces en algo a él?

a. ¿Cuál es el defecto propio que más deploras?

____

b. ¿Cómo te gustaría morir?

____

c. ¿Qué persona viva te inspira más desprecio?

____

d. ¿Cuál es tu idea de la felicidad perfecta?

____

e. ¿Qué talento desearías tener?

____

f. ¿Cuándo y dónde has sido más feliz?

____

g. ¿Cuál es tu pasatiempo favorito?

____

h. ¿Dónde desearías vivir?

____

Y CORREGIMOS LA TAREA FINAL...

12. Vuelve a leer el anuncio y la información de la lista que aparece en la actividad 8 de esta unidad. Imagina que eres el jefe de recursos humanos de MINTEL S.A. y elabora un cuestionario con las preguntas que consideres imprescindibles para entrevistar a los candidatos que se presenten.

Puedes empezar así:

1. ¿Qué experiencia tiene en el área de la construcción?
2. ¿Cuál es su disponibilidad?
3. ______
4. ______
5. ______
6. ______
7. ______
8. ______
9. ______
10. ______

13. Imagina que eres un candidato a ese puesto de trabajo. Piensa en las habilidades y la experiencia requeridas y prepárate para responder el mismo cuestionario que has elaborado. Hazlo por escrito, de la mejor manera posible.

1. ¿Qué experiencia tiene en el área de la construcción?

   He sido jefe de obras en varios proyectos inmobiliarios y he tenido a mi cargo...
2. ______
3. ______
4. ______
5. ______
6. ______
7. ______
8. ______
9. ______
10. ______

BLOQUE 4

EXPERIENCIA PROFESIONAL

unidad 11

OBJETIVOS

- **Objetivos comunicativos:**
  Hablar de la formación académica y de la experiencia profesional.
- **Vocabulario:**
  Profesiones, conceptos laborales, partes de un *curriculum vitae**.
- **Gramática:**
  Gerundio y presente continuo.
- **Tipo de texto:**
  El *curriculum vitae.*
- **Tarea:**
  Escribe tu propio *curriculum vitae.*

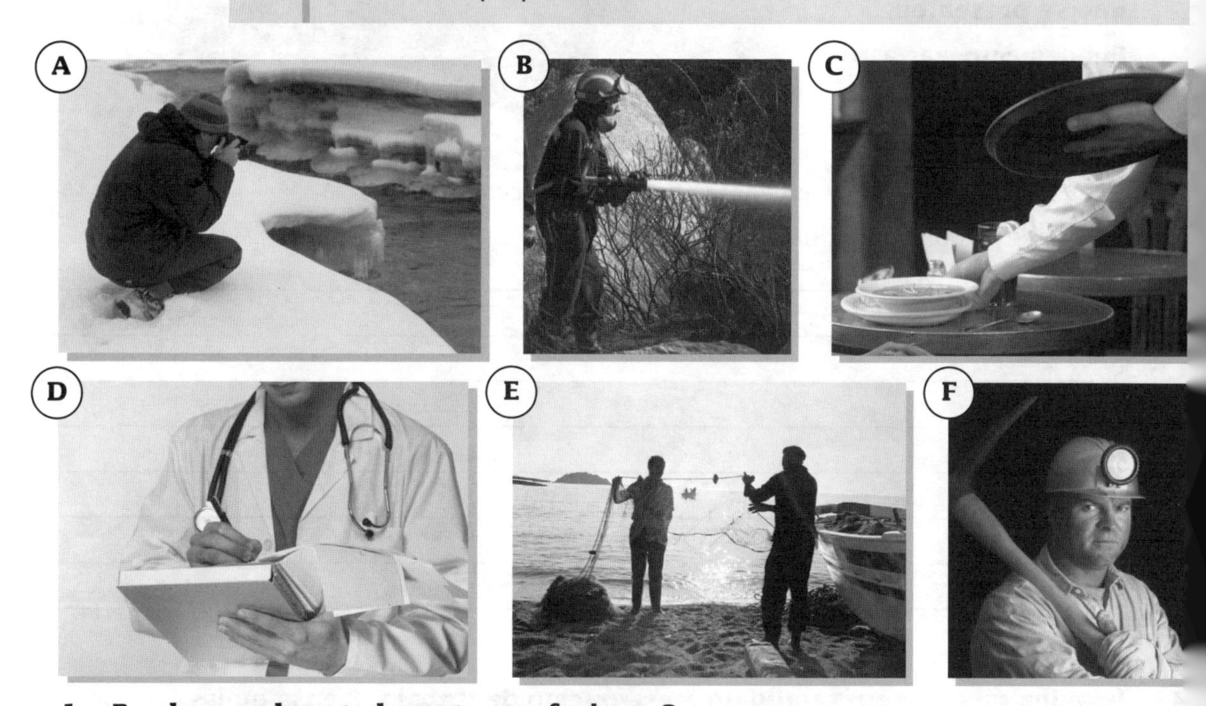

1. ¿Puedes nombrar todas estas profesiones?

A. ____________________ D. ____________________

B. ____________________ E. ____________________

C. ____________________ F. ____________________

2. ¿Te gustaría cambiar de trabajo? ¿Qué actividad o profesión te gustaría realizar? ¿Por qué?

____

____

NOTA:

**Curriculum vitae* es un latinismo utilizado para referirse al "historial profesional" de una persona. Su abreviación es CV. También pude decirse "currículo", sin complemento; esta segunda forma significa también "plan de estudios".

NOS PREPARAMOS PARA ESCRIBIR

3. Fíjate en los datos de este *curriculum vitae.*

CURRICULUM VITAE

A. ______________________

Nombre y apellidos:	Luka Martínez
Lugar de nacimiento:	Buenos Aires, Argentina
Cédula de identidad:	9.574.254 - 8
Teléfono:	562 224 3924
Correo electrónico:	lmartinez@teleline.com

B. ______________________

- 2001-2002: Máster en Administración y Dirección de Empresas. Universidad de Buenos Aires.
- 1996-2001: Licenciado en Administración y Dirección de Empresas por la Universidad de Buenos Aires.

C. ______________________

- 1999-2000: Contrato de un año en la empresa COSTAL, S.L., realizando tareas administrativas.
- 1998-1999: Contrato de trabajo haciendo prácticas en Banco Buenos Aires.

D. ______________________

- Inglés: nivel alto. Título de la Escuela Oficial de Idiomas.
- Italiano: nivel medio.
- Español: lengua materna.

E. ______________________

- Instructor de tenis.
- Miembro del cuerpo de bomberos de Buenos Aires.

F. ______________________

- Coleccionista de antigüedades.
- Guía de viajes.

4. Ahora, escribe los siguientes títulos en el hueco correspondiente del curriculo.

Experiencia laboral – Estudios – Idiomas

Aficiones – Otros datos de interés   Datos personales

5. Rodea con un círculo la información omitida en este CV.

1. la fecha de nacimiento
2. el lugar de nacimiento
3. la dirección postal
4. la dirección de correo electrónico
5. el permiso de conducir

6. Escribe V si la afirmación es verdadera, o F si es falsa.

a. Luka es mujer. ______

b. Luka tiene dos profesiones. ______

c. Entre sus aficiones está viajar. ______

d. La experiencia laboral está ordenada desde la fecha más reciente. ______

AMPLIAMOS EL VOCABULARIO...

7. Para comunicarnos en el mundo del trabajo encontramos un vocabulario bastante específico. Observa las palabras y expresiones del recuadro, busca o infiere su significado y completa las frases con una de ellas.

sueldo – buscando – se jubiló – anuncio – empleados
solicitud – han despedido – parado – gano – ascender

a. María, he visto el ____________ en el periódico donde buscan enfermeras; ¿por qué no envías tu currículo?
b. Marcos no tiene suerte, lleva dos meses ____________ un trabajo y no lo encuentra.
c. Cristina, ¿has enviado ya la ____________ de trabajo a la empresa de Jaime?
d. En esta empresa el ____________ no es bueno, pero las condiciones de trabajo son estupendas.
e. Mi padre ____________ el año pasado con 65 años.
f. Me ha dicho el director que si sigo así, pronto me va a ____________ al puesto de jefe de departamento.
g. ¿Te has enterado? Lucía esta deprimida porque la____________ después de muchos años de trabajo.
h. Hace seis meses que mi marido está ____________ , no encuentra trabajo y yo tengo que trabajar en dos sitios.
i. Yo creo que Marcelo es un chico que te conviene, tiene una empresa de informática con más de 20 ____________ .
j. En mi nuevo trabajo ____________ más que antes, pero también trabajo mucho más.

VOCABULARIO

Parado: desempleado
Jubilarse: dejar de trabajar por edad.
Ascender: subir en el trabajo.
Currículo: forma en español del latinismo *curriculum vitae.*

...Y REPASAMOS LA GRAMÁTICA

El presente continuo

- Llamamos así a la perífrasis formada por el presente del verbo **estar** + gerundio. Esta estructura expresa una acción en curso, que se está desarrollando en el momento de hablar:

  Estoy estudiando *español.*

- Con algunos verbos esta construcción sólo tiene sentido si la acción ocurre muy lentamente o de forma continuada:

  El agua ***está saliendo*** *del grifo. Ese cuadro se* ***está cayendo****.*

- Los verbos **llevar** + gerundio y **seguir** + gerundio expresan la continuidad de una acción que se desarrolla desde hace tiempo. Le acompaña siempre la expresión temporal que indica el inicio o la duración de la acción:

  Lleva viviendo *en Sevilla* ***más de 10 años****.*

- El presente continuo no posee carácter habitual, por lo que no podemos decir *Me estoy levantando a las seis cada día* como equivalente de *Me levanto a las seis cada día.*

- Tampoco puede ser usado con valor de futuro, pasado, petición o consejo, pero sí pueden observarse algunos usos con valor de mandato:

  ¡Ya te ***estás marchando*** *al colegio, que son las nueve!*

8. Construye frases como en el ejemplo.

Ejemplo: Empezó a dormir la siesta a las dos y media y ya son las seis de la tarde.
Lleva tres horas y media durmiendo la siesta.

a. Empezó a ducharse a las 8:00 y son las 8:30.

____

b. Los vecinos empezaron a discutir a las 4:00 y son las 4:45.

____

c. Su hijo empezó a estudiar Derecho a los 19 años y ahora tiene 25.

____

9. Selecciona la opción adecuada, como en el ejemplo.

Ejemplo: Oye, José, ¿tu amigo ***sigue trabajando*** / *lleva trabajando en el mismo sitio?*

a. Mi novia *está estudiando / lleva estudiando* Derecho en Harvard.

b. ¿Tú *sigues visitando / estás visitando* a tus abuelos los fines de semana?

c. ¿Cuántos años *llevas viviendo / sigues viviendo / estás viviendo* en Chicago?

ESCRIBIMOS EL BORRADOR

10. Piensa en tus estudios, tus actividades sociales y en tu experiencia laboral. Busca el vocabulario adecuado para describir las funciones y obligaciones que has desempeñado.

También piensa en el presente:

¿Qué estás haciendo ahora? ¿Estás trabajando o estudiando? ¿Cuánto tiempo llevas haciéndolo? ¿Sigues trabajando en el mismo lugar? ¿Has cambiado de trabajo?

11. Recoge esta información y escribe todo lo que puedas.

- Estudié sociología en Chile.
- Me gradué en 1999 de la Universidad de Chile.
- He trabajado en dos compañías diferentes.
- En la actualidad trabajo para Search Marketing S.A.
- Llevo trabajando en esta compañía desde el año 2003.
- Además, estoy haciendo un...

Y CORREGIMOS LA TAREA FINAL

12. Ahora escribe tu propio curriculum vitae. Para ello, repasa el vocabulario y la gramática de esta unidad. Piensa en tus estudios, tus intereses y tu experiencia profesional.

Agrupa la información en las siguientes categorías y recuerda actualizar periódicamente tu currículo.

DATOS PERSONALES

Nombre y apellidos: ______________________________

Fecha de nacimiento: ______________ Lugar de nacimiento: ______________

Cédula de identidad: ______________ Dirección: ______________

Teléfono: ______________ Correo electrónico: ______________

FORMACIÓN ACADÉMICA

______________ ______________________________

______________ ______________________________

CURSOS Y SEMINARIOS

______________ ______________________________

______________ ______________________________

EXPERIENCIA PROFESIONAL

______________ ______________________________

______________ ______________________________

IDIOMAS

______________ ______________________________

______________ ______________________________

OTROS INTERESES

____

____

13. Escribe una carta de presentación en la que expliques los puntos que consideres más relevantes de tu currículo (esta tarea la detallaremos en la unidad 12). Cuida el vocabulario y la gramática. No olvides utilizar el presente continuo para señalar lo que haces en la actualidad.

Estimados señores:

Les adjunto mi *curriculum vitae*, en el cual podrán observar mi formación académica y mi experiencia laboral.

Actualmente ______________________________

____

____

____

ESPERO SU RESPUESTA, ATENTAMENTE...

OBJETIVOS

- **Objetivos comunicativos:**
  Responder a un anuncio de trabajo; relatar experiencias laborales,
- **Vocabulario:**
  Lenguaje en las cartas de presentación. Experiencia laboral y descripciones en pasado.
- **Gramática:**
  Revisión del pretérito perfecto y el pretérito indefinido (2): formas y funciones.
- **Tipo de texto:**
  Cartas de presentación.
- **Tarea:**
  Leer un anuncio de trabajo, seleccionarlo y contestar a él escribiendo una carta de presentación.

1. Observa la imagen y responde las preguntas.

a. ¿Por qué piensas que estudian español estos niños?

____

____

b. ¿Cuánto tiempo llevas tú estudiando español?

____

____

c. ¿Crees que algún día utilizarás el español en tu vida laboral?

____

____

____

NOS PREPARAMOS PARA ESCRIBIR

2. Lee la siguiente carta, que contiene algunos errores, y contesta las preguntas.

Muy señores nuestros:

Por la presente tengo el agrado, de remitirles mi Curriculum Vitae, para que lo tengan en consideración a la hora de la selección del puesto de trabajo.

Una vez analizados cuales son los requisitos citados en su anuncio, creo que soy una persona muy valida para el puesto de trabajo por mí gran capacidad comercial, capacidad de comunicación y de atención al público, claves fundamentales para el éxito de una empresa.

Gracias por su atención y quedo a su entera disposición. Les saludo atentamente.

Rafael Ingeniero

Algunas recomendaciones para la carta de presentación

- No repetir lo que indicamos en el CV, sólo destacar lo más importante o relevante.
- Hablar siempre en tono positivo.
- No caer en la pedantería al hablar de nuestras capacidades, aunque tampoco debemos subestimarnos nunca.
- No utilizar un lenguaje muy efusivo y coloquial.
- Evitar tanto un tono lastimero como uno prepotente.
- Dirigir la carta a una persona en concreto, no a un destinatario genérico o indefinido.
- Señalar los puntos fuertes por los que pensamos que deberíamos ser contratados.
- La carta debe ser ordenada, clara, directa y concisa.
- Utilizar un tono cordial, pero respetuoso. No tutear.
- Evitar emplear frases rebuscadas o muy retóricas.
- Escribir en párrafos cortos.
- Utilizar frases breves y directas.
- Escribir en primera persona.

3. ¿Qué opinión te merece esta carta? Señala los posibles errores que ha cometido su autor.

____

____

____

4. Ahora reescribe los dos primeros párrafos de manera efectiva.

Para ello fíjate que en la carta anterior el autor:

– Es demasiado breve.

– Se equivoca en la fórmula del saludo.

– Hay problemas de puntuación y acentuación.

– No hace mucho esfuerzo ni se orienta al cliente.

– No es una carta que llame la atención.

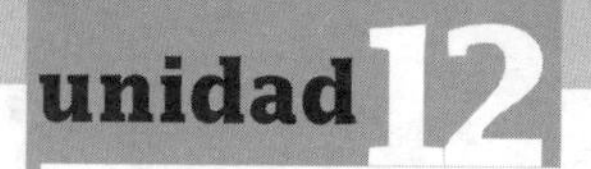

AMPLIAMOS EL VOCABULARIO

5. ¿Cuáles son, en tu opinión, las características de una buena carta de presentación para solicitar trabajo? Analiza el vocabulario del recuadro y rodea con un círculo las características que consideres necesarias.

Piensa en estas cosas:

- ¿Cómo debe ser el tono?
- ¿Cómo debe ser el lenguaje?
- ¿A quién debe ir dirigida?

concisa – extensión limitada – detallada – larga – clara – ordenada
información concreta – lenguaje formal – lenguaje informal – tono servicial
usa repeticiones – estilo personal – estilo impersonal – efusiva – divertida

6. Observa un posible formato para la redacción de una carta de presentación. Fíjate en el tono y el vocabulario. Identifica las partes de la carta.

Elena Gómez Gómez
C. Cuesta, 50, 9.º I
50008 - Zaragoza
Tfno: 235 000000

INDUSTRIAS GAVINA, S.A.
Paseo de la Independencia, 240, 2.º H
Att. Dpto. de Personal
Ref: AGV
50003 - Zaragoza

Zaragoza, 12 de enero de 2000

Muy Sres. míos:

Tras ver su oferta de empleo el pasado día ... del presente mes en el periódico *El Heraldo de Aragón*, me dirijo a Uds. con el fin de remitirles mi curriculum vitae y poder aspirar al puesto de Agente Comercial que solicitan para la provincia de Zaragoza.

Como podrán comprobar en el mismo, tengo experiencia en este campo, ya que estuve desempeñando un trabajo similar por un periodo de tres años en una renombrada empresa de Barcelona.

Confiando en que estudien mi solicitud y a la espera de sus noticias, les saluda atentamente.

Elena Gómez Gómez

Adjunto: *Curriculum vitae*

Y REPASAMOS LA GRAMÁTICA

7. Cuando escribimos una carta de presentación que acompaña nuestro currículo, debemos destacar nuestras experiencias más relevantes en el ámbito académico y profesional. El uso correcto del pretérito perfecto y del pretérito indefinido nos será de gran ayuda. Fíjate en estas tablas y repasa las formas y funciones de estos tiempos.

- **Pretérito indefinido: conjugación**

	hablar	**comer**	**vivir**
Yo	habl-**é**	com-**í**	viv-**í**
Tú	habl-**aste**	com-**iste**	viv-**iste**
Él/ella/usted.	habl-**ó**	com-**ió**	viv-**ió**
Nosotros/-as	habl-**amos**	com-**imos**	viv-**imos**
Vosotros/-as	habl-**asteis**	com-**isteis**	viv-**isteis**
Ellos/-as/ustedes	habl-**aron**	com-**ieron**	viv-**ieron**

Recuerda:

a) Las formas ***hablamos/vivimos*** son iguales a las del presente de indicativo.

b) La 1.ª y 3.ª persona del singular siempre se acentúan: ***hablé, comí, viví/habló, comió, vivió.***

c) Al contrario que en el presente de indicativo *(habláis, coméis, vivís),* la 2.ª persona del plural no lleva acento: ***hablasteis, comisteis, vivisteis.***

El pretérito indefinido se usa:

a) Para hablar de una acción pasada y acabada, en un tiempo que no tiene relación con el presente: ***Viví*** *en Bolivia siete años.*

b) Para enumerar sucesos en una biografía: *Pablo Neruda* ***nació*** *en Chile, pero* ***vivió*** *en muchos otros países como diplomático.*

Marcadores temporales del pretérito indefinido: ayer, la semana pasada, el mes pasado, el martes pasado, en abril, hace unos meses...

- **Pretérito perfecto: conjugación**

Se construye con el presente de indicativo del verbo **haber** + participio pasado.

Formación del participio pasado regular: casar > **cas-ado**, tener > **ten-ido**, venir > **ven-ido**.

El participio es invariable, pero puede ser irregular: *dicho, escrito, abierto, vuelto, descubierto, visto, puesto, hecho, muerto*

Yo	**he**	**traído** un postre para la cena.
Tú	**has**	**llegado** con media hora de retraso.
Él/ella/usted	**ha**	**recibido** un regalo.
Nosotros/-as	**hemos**	**visto** un documental en televisión.
Vosotros/-as	**habéis**	**hecho** un viaje a Tailandia.
Ellos/-as/ustedes	**han**	**abierto** un restaurante familiar.

Usamos este tiempo:

a) Para hablar de una acción que ocurre en una unidad de tiempo que todavía no ha terminado: *Hoy* ***hemos salido*** *del trabajo temprano. Esta mañana el tren* ***ha llegado*** *con retraso.* (También: *este mes, este año*, etc.)

b) Para hablar de una acción que ocurre en un tiempo acabado pero cercano al presente: *Luis y María* ***han llegado*** *hace un momento.* (También: *hace un par de horas, últimamente...*)

c) Para hablar de experiencias pasadas sin hacer referencia al momento en que sucedieron: *¿**Has ido** a Latinoamérica alguna vez? No, pero siempre* ***he querido*** *ir.*

ESCRIBIMOS EL BORRADOR

Lo habitual es que un anuncio de trabajo solicite una respuesta por escrito, en la que a la carta de presentación se adjunta un *curriculum vitae.*

Cada anuncio requerirá una carta específicamente redactada y diseñada para las características de la oferta de empleo. No vale tener una carta tipo de presentación preparada y utilizarla indiscriminadamente. Cada anuncio es distinto, cada uno exige requisitos diferentes y se deberá reflexionar sobre los aspectos concretos que se piden.

8. Observa el siguiente ejemplo de carta de presentación en respuesta a un anuncio y responde por escrito a las preguntas.

Olga Santamarta Muñoz
Rentería, 53
41011 - Bilbao
Tfno: 468 23 44

SELECCIÓN DE PROFESIONALES, S. L.
Gran Vía, 113
38020 - Zamora
Ref: 2593

Bilbao, 12 de enero de 2007

Estimados Sres.:

En relación a su anuncio publicado en El Correo Español de fecha 22/11/06, solicitando un Product Manager, les presento mi candidatura al puesto y les resalto los aspectos más significativos de mi experiencia profesional y formación académica:

- Experiencia de más de tres años en puestos de responsabilidad en marketing en empresas de bienes de consumo.
- Amplios conocimientos de análisis de mercados y de la competencia.
- Licenciada en Ciencias Económicas y Empresariales.
- Máster en Dirección de Marketing y Comercial (IESE).
- Personalidad dinámica y activa.

En una próxima entrevista, con mucho gusto les ampliaré aquellos aspectos que sobre mi curriculum vitae deseen conocer.

Atentamente,

Olga Santamarta Muñoz

a. ¿A qué tipo de trabajo responde esta carta?

____

b. ¿Qué tipo de lenguaje utiliza el autor?

____

c. ¿Qué aspectos destaca la carta?

____

Y CORREGIMOS LA TAREA FINAL

9. Observa estos anuncios de trabajo y responde a uno de ellos escribiendo una carta de presentación. Recuerda lo siguiente:

- En el encabezamiento indica la referencia del puesto al que optas.
- Menciona por qué te interesa el puesto.
- Muestra que tus características se adecuan al perfil del candidato.
- Remarca que el objetivo de tu carta es formar parte de la selección.
- Deja abierto un canal de comunicación para que la empresa se ponga en contacto contigo.

Importante empresa de trabajo temporal precisa administrativa con idiomas (inglés, francés) para inmobiliaria en Barcelona.

Se precisa que la persona tenga conocimientos en administración como mínimo de 1 año y un nivel de inglés fluido. La persona se encargará de llevar todo el tema de administración y recepción de llamadas. Se pide un conocimiento alto de inglés para poder contactar con los clientes extranjeros.

El horario será de 10:00-14:00 / 16:00-20:00 de lunes a viernes.

El salario será de unos 800-850 euros netos mensuales.

TE GUSTA EL TRABAJO EN EQUIPO?

DESCRIPCIÓN:
Atención al cliente de forma personalizada y telefónica con las condiciones más favorables para el cliente y la empresa.
OFRECEMOS:
Puesto estable, aprendizaje continuo y un buen ambiente de trabajo en una empresa en expansión y consolidada a nivel nacional.
CONDICIONES LABORALES:
Sueldo: 914,39 euros brutos por mes
Jornada: intensiva de turnos rotativos de mañana y tarde.
Contrato: temporal, tres meses, con posibilidad de prórroga.
CENTRO DE TRABAJO:
En el aeropuerto de Valencia.

¡SI QUIERES TRABAJAR CON NOSOTROS, ENVÍANOS TU CURRICULUM!
Fax: 965 654 384
E-mail: ofertasempleo@europa-rentacar.es

ASISTENTE DE MARKETING

Teléfono: 664562212

Localización: Chamartín, Madrid

Publicado:

Vie, 9 junio 2006, 12:26

Franquicia inmobiliaria, de nueva implantación en España, necesita una persona preferentemente joven (máx. 30 años) con habilidades administrativas y conocimientos de marketing y de la lengua portuguesa o gallega. Jornada completa de trabajo, fijo y alta remuneración.

Antes de responder al anuncio revisa la gramática y el vocabulario de esta unidad y recuerda que, en cualquier caso, la respuesta ha de ser breve y concisa, destacando los aspectos relevantes de tu currículum que tienen relación con el puesto al que optas. ¡Buena suerte!

BLOQUE 4

EVALÚA TU PROGRESO

En este bloque has aprendido, entre otras cosas, a:

- Diseñar y contestar un cuestionario.
- Prepararse para una entrevista.
- Describir la experiencia laboral.
- Escribir tu curriculum vitae.
- Escribir la carta de presentación que acompaña al *curriculum vitae.*

1. En un cuestionario utilizamos frecuentemente los pronombres interrogativos *qué* y *cuál.* Señala si las siguientes preguntas están bien o mal escritas. En el caso de que estén mal, escribe la forma correcta.

a. ¿A cuál persona admiras? BIEN MAL

b. ¿Qué es tu nombre? BIEN MAL

c. ¿Cuál es tu mayor defecto? BIEN MAL

d. ¿Cuál coche prefieres? BIEN MAL

e. ¿Cuál de estos coches prefieres? BIEN MAL

f. ¿En cuál piso vives? BIEN MAL

g. ¿En qué número vives? BIEN MAL

2. En este bloque has visto algunos usos del gerundio. Explica con tus propias palabras las siguientes construcciones.

a. Estar + gerundio ______________________

b. Llevar + gerundio ______________________

c. Seguir + gerundio ______________________

3. Ahora escribe una oración con cada una de esas perífrasis.

a. Estar + gerundio ______________________

b. Llevar + gerundio ______________________

c. Seguir + gerundio ______________________

4. ¿Qué diferencias existen entre un cuestionario y una entrevista? Señala algunas.

EL CUESTIONARIO

____

____

____

LA ENTREVISTA

____

____

____

5. Explica la diferencia entre las palabras *curriculum* y *currículo.*

____

____

EVALUACIÓN DEL BLOQUE 4

6. ¿Qué otra acepción tiene la palabra *currículo*?

____

7. ¿Cuáles son las partes de un *curriculum vitae*? Menciona sus nombres.

____

____

8. ¿Qué características tiene una buena carta de presentación? Elabora una lista con sugerencias para escribirla correctamente.

____

____

9. Ahora, contesta a este anuncio escribiendo una carta de presentación. No olvides adjuntar tu *curriculum vitae*.

IMPORTANTE EMPRESA LIDER EN EL RAMO SOLICITA:
PROMOTOR DE VENTAS

- Edad: 25-30 años.
- Excelente presentación, para trabajar en sector financiero de ciudad de México.
- Escolaridad: carrera de mercadotecnia, publicidad, relaciones comerciales, relaciones públicas (licenciado).
- Experiencia: tres años manejando promociones, merchandising, atención a clientes y negociación.
- Conocimiento: en merchandising, inventario de productos, análisis del comportamiento del producto en el mercado, manejo de la imagen del producto en puntos de venta, etc.
- Habilidades: poder de convencimiento y liderazgo, orientado a metas, trabajar por objetivos y bajo presión, creativo, capacidad de tomar decisiones, competitivo, carácter firme y responsable.
- Es deseable que cuente con coche propio.

SUELDO: 45.000 euros anuales + 5.000 de transportes + beneficios + un esquema de compensaciones x 1.500.
DISPONIBILIDAD INMEDIATA: Interesados enviar curriculum vitae, preferentemente con fotografía y carta de presentación, a:

MEXICOM S.A.
CIUDAD SATÉLITE 2938, SUITE 233
MEXICO D.F. 13G03

BLOQUE 5

PÓNGALO POR ESCRITO

unidad 13

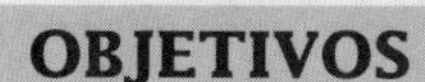

OBJETIVOS

- **Objetivos comunicativos:**
  Plantear una queja y hacer una reclamación.
- **Vocabulario:**
  Palabras y conectores del discurso (1).
- **Gramática:**
  Pretérito perfecto de subjuntivo (1).
- **Tipo de texto:**
  La carta de reclamación (personal y comercial).
- **Tarea:**
  Escribir una carta de reclamación.

1. Observa la fotografía y responde.

a. ¿Qué hace esta mujer? ¿En dónde está? ¿Qué tiene en sus manos?

____

____

b. ¿Has devuelto alguna vez una compra? ¿Qué era y por que lo hiciste?

____

____

c. ¿Te has quejado alguna vez por algún producto o servicio recibido? ¿Cómo lo hiciste?

____

____

d. ¿Has escrito alguna vez una carta de reclamación? ¿Por qué?

____

____

NOS PREPARAMOS PARA ESCRIBIR

2. Aquí tienes algunos consejos para escribir una carta de reclamación. Léelos con atención y después lee la carta.

Consejos

- En la parte superior de la carta escribe claramente tu nombre, domicilio y número telefónico.
- Escribe cuándo y dónde hiciste la compra o el acuerdo y cualquier otra información pertinente, tales como la marca del artículo, modelo, etc.
- Describe el problema breve y claramente y qué hiciste para resolverlo.
- Dale, a la otra parte, un periodo específico de tiempo en el cual una respuesta debe ser recibida (dos semanas) e indica que "tomarás otras acciones", "buscarás consejo legal" o "darás otros pasos" si el asunto no es resuelto.
- Escribe "CC" al final de la carta si estás enviando copias a alguien; a un grupo de defensa del consumidor o a una oficina fiscal, etc.
- Indica si incluyes copias de documentos apoyando tu caso (nunca envíes originales).
- Guarda una copia de todas tus cartas y documentos.

Ejemplo de carta de queja

(Nombre y apellidos)
(Domicilio)
(Teléfono)

Estimado Sr. /Sra.:

Deseo plantear una queja acerca de ...... (nombre del producto o servicio), que (compré/recibí) el ...... en ...... (fecha y lugar de la transacción).

Me quejo porque ...... (razón por la cual se está insatisfecho) en su compañía. Ustedes me han dicho que nada podía hacerse al respecto. Espero, sin embargo, que se **haya revisado** mi queja y que se **haya intentado** todo lo necesario para resolver este problema. Su negativa, a priori, me parece injusta porque ...... (razón por la que usted cree que la compañía tiene una obligación con usted). Me gustaría recibir una carta explicándome claramente su posición y qué se hará acerca de mi queja.

Espero su respuesta lo antes posible. Si no la recibo en un plazo de 10 días, me dirigiré a las agencias de consumidores correspondientes y consideraré todas mis alternativas legales. No obstante, antes de proceder de esta manera, espero que este problema se **haya resuelto** sin necesidad de recurrir a terceros.

Incluyo con la presente copias de mi recibo/factura de ...... (compra/atención) y del pago efectuado.

Puede comunicarse conmigo en la dirección y teléfono indicados más arriba.

Sinceramente,

(Su firma)

CC: (grupo local de defensa del consumidor)

3. Fíjate en los verbos en negrita de la carta. ¿Sabes a qué modo y tiempo verbal corresponden? ¿Puedes explicar su función?

AMPLIAMOS EL VOCABULARIO...

4. Aquí tienes algunos conectores para organizar el discurso. Léelos con atención y averigua su función.

en cuanto a	además	por eso	a pesar de que	por un lado
a que	sin embargo	por todo ello	para que	debido a
por último	puesto que	como	por otro	en otras palabras

5. Ahora fíjate en la siguiente carta y complétala con algunos de los conectores del recuadro.

Josefina Andrade
Paseo Collao, 37, 2.º A
60611 Bogotá

Centro de belleza y cuidado personal, Apolo
Calle Las Amelias, 974, 3D
60647 Bogotá

Estimados señores:
Les escribo con la intención de presentarles una queja formal, que ya he hecho constatar personalmente en su centro, queja que, ______________ (1) tengo la intención de remitir a la oficina del consumidor.

El pasado día 20 de julio acudí a su centro ______________ (2) me realizaran una simple depilación. Mi primera sorpresa fue el trato que recibí de la señorita que me atendió en recepción. Su actitud me hizo sentir que yo estaba pidiendo un favor y no comprando un servicio. ______________ (3), no cumplió con su trabajo como debía. ______________ (4) la depilación propiamente tal, como mujer que lleva muchos años depilándose puedo asegurarles que jamás en la vida había visto un trabajo peor hecho. ______________ (5) el 22 de julio tenía previsto un viaje a la playa, en cuanto llegué a mi casa y me vi las piernas tuve que buscar rápidamente la ayuda de otro centro ______________ (6) terminaran el trabajo que ustedes habían dejado a medio hacer. ______________ (7) se trataba de un centro con un prestigio mucho menor que el suyo, o tal vez ______________ (8), me trataron como a la señora que soy y realizaron su trabajo a la perfección.

De ustedes no puedo hacer ni un solo comentario positivo; ______________ (9), el estado del centro es deplorable; ______________ (10), el servicio que me prestaron no fue satisfactorio y, ______________ (11), sus empleados me trataron mal.

______________ (12), creo que jamás en la vida volveré a visitarles, ______________ (13) sus servicios no reúnen las condiciones mínimas que pueden exigirse a un centro de estas características. Espero que hayan aprendido de esta pésima experiencia y que corrijan sus deficiencias para garantizar que su centro ofrezca el servicio que promete en sus anuncios.

Atentamente,

Fdo. Josefina Andrade

...Y REPASAMOS LA GRAMÁTICA

El pretérito perfecto de subjuntivo

Conjugación

- El pretérito perfecto de subjuntivo es un tiempo compuesto, que se forma con el presente de subjuntivo del verbo haber y el participio pasado del verbo que señala la acción.

Sujeto	Presente de subjuntivo de haber (ojo, es irregular)	Participio pasado
Yo	haya	jugado
Tú	hayas	comido
Él/ella/usted	haya	vivido
Nosotros/-as	hayamos	hecho
Vosotros/-as	hayáis	abierto
Ellos/-as/ustedes	hayan	visto

Ejemplos: *No creo que Carlos **haya ido** a la fiesta de Andrés.*

*Me alegro de que **hayamos encontrado** una solución.*

*¡Qué lástima que se **haya enfermado** durante el verano!*

- **Ojo:** no se puede introducir ninguna palabra entre las dos partes del pretérito perfecto; los pronombres se colocan antes del verbo haber.
- **Uso:** Utilizamos el pretérito perfecto de subjuntivo, para expresar un pasado reciente, después de un verbo principal que esté en presente, futuro o pretérito perfecto de indicativo y que requiera un subjuntivo en la cláusula subordinada.

Ejemplos: *Espero que no le **haya ocurrido** nada malo a María.*

*Espero que para el viernes ya **hayamos terminado**.*

*Me ha molestado que **haya dicho** eso.*

6. Completa las oraciones con la forma correcta del verbo entre paréntesis: pretérito perfecto de indicativo o de subjuntivo.

a. Dudo que usted ________________ (ver) un puma en esta región.

b. Yo sé que tú ________________ (hablar) con tu jefe de este problema.

c. No estoy seguro de que el director ________________ (decir) la verdad.

d. Lamento que vosotros no ________________ (poder) venir al concierto.

e. ¿No te molesta que tu jefe ________________ (leer) tu correo electrónico?

f. Seguro que tú ________________ (visitar) muchos países por tu trabajo.

g. Hoy mamá ________________ (preparar) dulce de leche para nosotros.

ESCRIBIMOS EL BORRADOR

7. Prepara el bosquejo de una carta de reclamación para la siguiente situación:

Has comprado un servicio de telefonía móvil en la compañía TELECOM, con cobertura para todo el país, pero después de utilizar el servicio durante unas semanas has comprobado que la comunicación falla constantemente cuando intentas comunicarte con otros estados y ciudades.

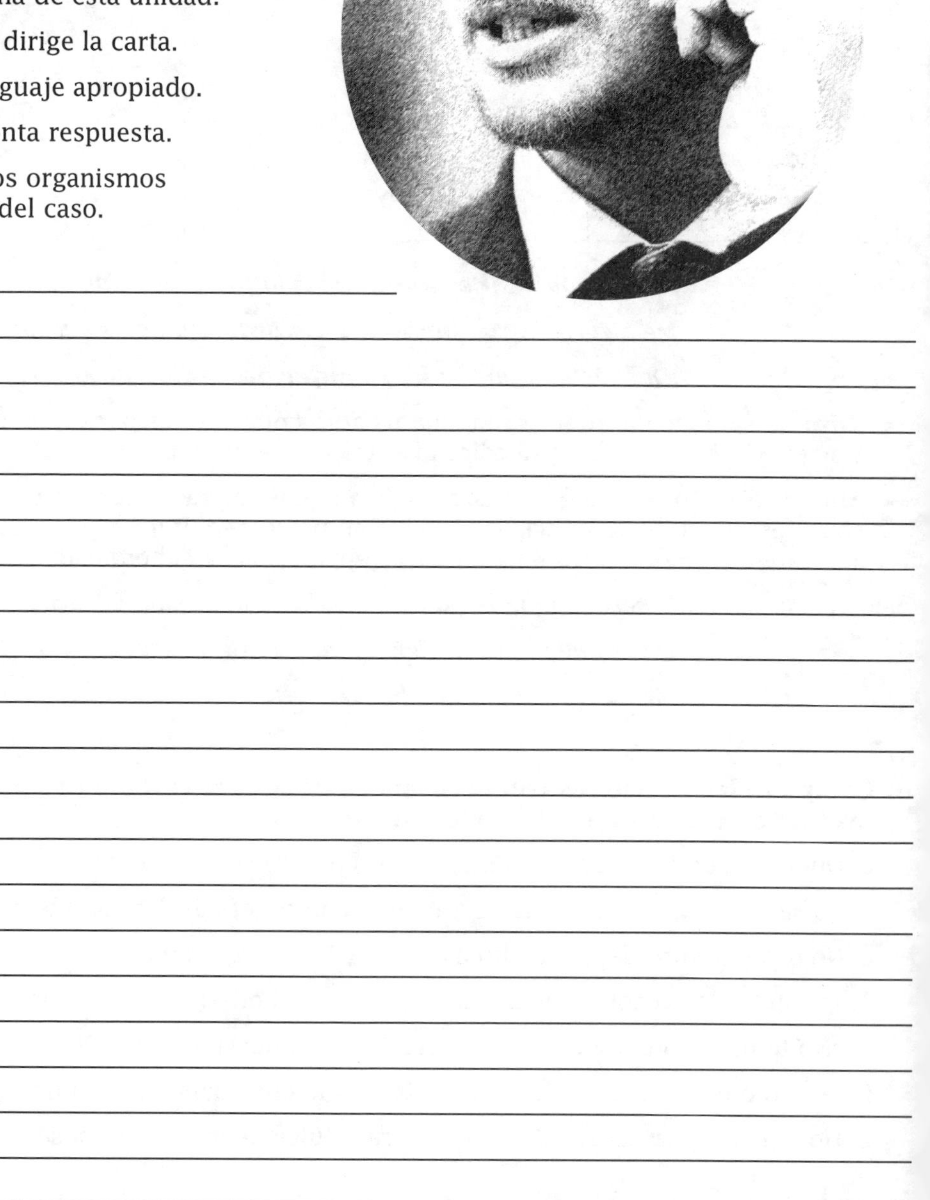

- Piensa bien lo que vas a escribir.
- Sigue los consejos indicados en la segunda página de esta unidad.
- Identifícate y dirige la carta.
- Utiliza un lenguaje apropiado.
- Exige una pronta respuesta.
- Pon copia a los organismos competentes del caso.

Y CORREGIMOS LA TAREA FINAL

Ya has visto que los elementos que componen una carta de reclamación son, básicamente, los siguientes: la exposición del problema, el tono y vocabulario adecuados, la gramática correcta y la identificación de las partes (a quién se dirige y quién es el afectado).

8. Revisa toda la información tratada en esta unidad y después escribe la posible carta de reclamación que dio origen al siguiente modelo de respuesta.

- **Respuesta a reclamación**

Fecha
Nombre y dirección de la empresa
Ciudad y país

Estimado Señor:

Hemos recibido su carta de fecha..., que se refiere al pedido n.º..., de... de la línea..., en la que nos informa la falta de algunos productos.

Después de algunas averiguaciones, hemos podido constatar que la mercancía salió de nuestro depósito en perfecto estado, con las cajas debidamente cerradas y lacradas.

A pesar de ello, como entendemos que esto ha causado innumerables molestias a su empresa, nos haremos cargo de esta pérdida, remitiéndoles con la máxima urgencia la mercancía que falta.

Esperando contar nuevamente con ustedes en futuras transacciones, reciban un cordial saludo.

(Firma).

- **Carta original de reclamación**

____
____
____
____
____
____
____
____
____
____
____

EN RESPUESTA A...

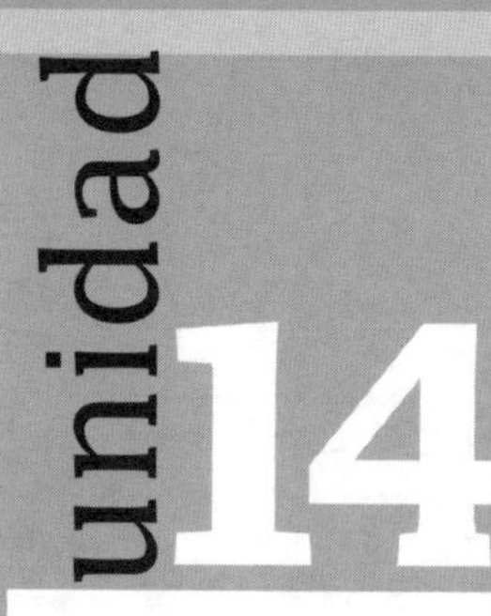

OBJETIVOS

- **Objetivos comunicativos:**
  Responder a una queja o reclamación. Expresar sorpresa y extrañeza.
- **Vocabulario**:
  Palabras y conectores del discurso (2).
- **Gramática:**
  Pretérito perfecto de subjuntivo (2).
- **Tipo de texto:**
  Carta de respuesta a una reclamación.
- **Tarea:**
  Escribir una respuesta a una carta de reclamación.

1. Observa la fotografía y responde por escrito.

a. Este chico responde a una queja de su trabajo. ¿Has recibido alguna queja en tus estudios o trabajo?

____

____

b. ¿Has tenido que responder a alguna queja o reclamación?

____

____

c. ¿Te has sentido alguna vez responsable por algo que no ha funcionado?

____

____

d. ¿Has tenido que argumentar tus descargos? ¿Cómo lo has hecho?

____

____

NOS PREPARAMOS PARA ESCRIBIR

2. En la unidad anterior has estudiado el formato y las características de la carta de reclamación. Ahora te corresponde responder a una queja, argumentando tus descargos. Fíjate en el siguiente modelo:

El Paso, 10 de abril de 2006

Estimados señores:

En respuesta a su carta de reclamación, de fecha 25 del presente mes, queremos comunicarles que lamentamos sinceramente lo ocurrido. A nosotros también nos extraña y sorprende que el pedido haya llegado tarde, con golpes y averías. Al parecer, la causa del percance ha sido un accidente durante el transporte de los envíos, problema que ya hemos subsanado.

De todas maneras, y si ustedes lo estiman conveniente, podemos volver a enviarles los productos sin costo alguno y de forma inmediata.

Esperamos su pronta respuesta y de nuevo les pedimos disculpas por las molestias que les hemos causado.

Les saluda atentamente,

Pedro Acosta
Jefe de Ventas

3. ¿Qué lenguaje se utiliza en esta carta?

____

____

4. ¿Qué modo y tiempo verbal utiliza la carta para expresar sorpresa y extrañeza?

____

____

5. ¿Cuál ha sido el origen del problema?

____

____

6. ¿Qué solución propone el jefe de ventas?

____

____

7. ¿Cómo concluye la carta?

____

____

AMPLIAMOS EL VOCABULARIO...

8. Uno de los aspectos más importantes de la argumentación son sus conectores. Los conectores son palabras o expresiones que cumplen funciones específicas en el discurso. Observa los siguientes:

- En conclusión, ...
- Para finalizar, ...
- Empecemos por considerar...
- Es más, ...
- De acuerdo con...
- Lo que creo es que...
- Según...
- Estoy convencido de que...
- Por una parte sí, pero por otra...
- Podemos tener en cuenta también que...
- Hay que tener en cuenta diferentes aspectos...
- Aquí hay que hablar de diferentes puntos...
- En mi opinión, ...
- Lo primero que hay que decir es que...
- Vamos a hablar de un tema que...
- Otro hecho importante es que...
- Hay una diferencia fundamental entre... y...

9. Ahora intenta clasificar los conectores anteriores de acuerdo con su función principal.

- **Presentar argumentos**

  Empecemos por considerar...

  ____

  ____

- **Organizar argumentos**

  Por una parte sí, pero por otra...

  ____

  ____

- **Añadir argumentos/oponerlos**

  Otro hecho importante es que...

  ____

  ____

- **Mostrar puntos de vista**

  En mi opinión, ...

  ____

  ____

- **Concluir**

  En conclusión, ...

  ____

  ____

...Y REPASAMOS LA GRAMÁTICA

El pretérito perfecto de subjuntivo (2)

En la unidad anterior estudiaste las formas y algunas funciones del pretérito perfecto de subjuntivo.

- Recuerda que este tiempo de subjuntivo tiene los mismos valores que el pretérito perfecto de indicativo. Si el verbo principal de la oración requiere subjuntivo en la subordinación, entonces utilizamos el pretérito perfecto de subjuntivo. Observa los ejemplos:

  A. *¿Le* ***has preguntado*** *a tu hermano si podrá ayudarme con la mudanza?*

  B. *Sí, se lo* ***he preguntado*** *esta tarde y me* ***ha dicho*** *que lo hará encantado.*

  A. *Ah, pues te agradezco que lo* ***hayas hecho****. Gracias de verdad.*

- Para expresar extrañeza o sorpresa puedes utilizar las siguientes estructuras:

  Qué raro/extraño que
  Me parece raro/extraño que
  Me extraña que
  Me sorprende que } **+ subjuntivo**

  Ejemplos: *¡Me parece rarísimo que no* ***haya llamado****!*
  ¡Qué raro que todavía no ***haya llegado****!*
  Me sorprende que ***haya dicho*** *eso.*

10. Reacciona a las siguientes situaciones expresando extrañeza o sorpresa.

Ejemplo: El profesor ha llegado tarde hoy a clase.
Me extraña que ***haya llegado*** *tarde a clase.*

a. Carlos dijo que llegaría pronto y todavía no ha llegado.

____

b. Tu hermano me ha dicho que no quiere saber nada de mí.

____

c. ¿Sabías que Jorge y Daniela se han divorciado?

____

d. José ha decidido dejar de trabajar.

____

e. Son las 10 y mi madre todavía no ha llamado.

____

f. El director ha insistido en que trabajemos el sábado.

____

g. A mi novia no le ha gustado nada la última película de Spielberg.

____

ESCRIBIMOS EL BORRADOR

Cuando se responde a una queja o reclamación, se argumenta la defensa presentando con claridad la información necesaria para hacer los descargos. Normalmente expresamos extrañeza ante la queja y negociamos la solución.

11. ¿Cómo responderías a la siguiente carta de reclamación? Imagina que eres el jefe de atención al cliente de SILUETA y contesta la carta de reclamación de María José Quintanilla.

- **Carta de reclamación**

Estimados señores:

El pasado mes de mayo compré SILUETA, un producto para adelgazar fabricado por ustedes. Tanto en la publicidad de televisión como en el prospecto del producto se aseguraba un adelgazamiento rápido, si se cumplían todas las recomendaciones.

Durante cuatro semanas no he comido ni pan ni dulces y he tomado su batido media hora antes de cada comida. Según su publicidad, debería pesar entre seis y ocho kilos menos. Pues permítanme informarles que ha ocurrido todo lo contrario: peso tres kilos más y, además, se me han hinchado las manos y los pies.

Quiero pedirles la devolución del dinero pagado por la compra de su producto, así como el pago de las visitas a los especialistas a los que he debido acudir para consultar sobre los efectos secundarios producidos por tomar su producto.

Atentamente,

María José Quintanilla
C/ Preciados, 10 A
43002 Madrid

- **Respuesta**

Estimada señora Quintanilla: ______________________________

____

____

____

____

____

____

____

____

____

Y CORREGIMOS LA TAREA FINAL

12. Eres el jefe de ventas de TEXTILES EL GAUCHO, S. A. Has recibido esta carta de reclamación de un cliente. Léela con atención.

26 de junio de 2006

Señores:

Acabamos de recibir el envío de hilos, telas y géneros de algodón, correspondiente a nuestro pedido número 555, de fecha 10 de junio del presente año, y con sorpresa y disgusto por nuestra parte hemos comprobado que la mercancía ha llegado hasta nosotros en pésimas condiciones: el género está totalmente deteriorado, ya que las cajas han llegado rotas.

Por esta causa, nos vemos obligados a rechazar el envío y de momento no pagaremos ningún cargo. Por otra parte, esperaremos que ustedes nos indiquen qué debemos hacer con el envío recibido.

Esperamos sus noticias y una pronta solución a este problema.

Atentamente,
Fdo: Juan Arellano
TEJIDOS E HILADOS, S. A.

13. Ahora escribe la contestación siguiendo las pautas que se te ofrecen. Utiliza el vocabulario y la gramática presentada en la unidad. Recuerda expresar extrañeza, lamentar lo ocurrido y dar una solución.

Pautas:

- Expresar sorpresa y disculparse por lo ocurrido.
- Explicar lo ocurrido por un descuido en el departamento de embalajes.
- Corregir este error.
- Reenvío inmediato de las telas y géneros.
- Ofrecer un descuento en el precio final.

Estimados señores de TEJIDOS e HILADOS:

En respuesta a su carta de fecha del ______________________________

____

____

____

____

SEÑOR DIRECTOR...

OBJETIVOS

- **Objetivos comunicativos:**
  Justificar una queja y argumentar una opinión.
- **Vocabulario:**
  La prensa escrita; el lenguaje periodístico; secciones de un periódico.
- **Gramática:**
  Oraciones de relativo: contraste indicativo/subjuntivo.
- **Tipo de texto:**
  Cartas al director de un periódico.
- **Tarea:**
  Escribir una carta de opinión al periódico.

1. Observa la fotografía y responde.

a. ¿Qué lee este hombre?

____

b. ¿Lees a menudo el periódico?

____

____

____

c. ¿Qué secciones del periódico sueles leer?

____

____

____

____

____

d. ¿Lees la sección de cartas al director?

____

____

e. ¿Has escrito alguna vez al periódico? ¿Te gustaría hacerlo? ¿Sobre qué escribirías? ¿Denunciarías algún hecho? ¿Cuál?

____

____

____

____

____

____

NOS PREPARAMOS PARA ESCRIBIR

2. Fíjate en esta carta, extraída de un periódico español.

Carta abierta al presidente del Gobierno de Navarra

Respetado presidente del Gobierno de Navarra: no tengo el gusto de conocerlo, pero el otro día, en la Casa de América, escuché su magnífica conferencia, clara, contundente y estupenda.

No soy navarro, pero estudié y conocí esa tierra y desde entonces, sin ningún derecho, me califico «hijo adoptivo» de Navarra. España entera le debe mucho sólo con repasar su historia. En su conferencia vi su preocupación por el futuro. Si el Partido Socialista es navarro, no hay más remedio que inculcar, con toda la fuerza del mundo, que las cosas de los navarros las tienen que defender sólo los que tienen ese nombre; todos los que nacieron en esa tierra bendita de San Fermín y de San Francisco Javier.

El mayor esfuerzo que se tiene que hacer es tener la juventud en la mano, hablar de Navarra y darla a conocer por todos los medios.

No soy político, pero quiero lo mejor para España y para Navarra.

José Miguel Rodríguez

3. Escribir una carta a la editorial de un periódico o al director de un diario no es tarea fácil. Después de todo, tu nombre aparecerá en la publicación. Aquí tienes algunos consejos prácticos para este tipo de texto. Léelos con atención.

Sinceridad. El contenido del mensaje debe ajustarse a la realidad. La verdad convence. Nunca calumnies a otra persona. Tampoco hables mal de alguien innecesariamente.

Brevedad. La carta no debe exceder la extensión que recomienda el editor (suelen ser unas 20 líneas, aproximadamente 250 palabras).

Originalidad. Expresa tus ideas con tus propias palabras.

Datos completos. Incluye tu nombre, dirección, teléfono y número de identificación en las cartas. No olvides firmarla. Son requisitos obligatorios.

Oportunidad. Elige un tema que esté de actualidad y no tardes en escribir al respecto.

Sé positivo. Escribe desde un punto de vista positivo. Es muy fácil criticar, lo realmente meritorio es aportar soluciones.

Hazla interesante. Un objetivo muy importante de enviar una carta es que se lea completamente. Hazla interesante para el lector desde las primeras líneas.

Muéstrate cordial. Sé atrevido en tus palabras, pero evita la difamación y la grosería. La educación ha de estar presente en todo momento.

Sé preciso. La carta ha de ser concisa y rigurosa.

Formalidad mínima. Dirígete siempre (de usted) al director del medio al que escribes. Se empieza siempre la carta con "Sr. Director".

Relee la carta las veces que haga falta. Siempre será mejorable.

AMPLIAMOS EL VOCABULARIO...

4. En la columna A te presentamos algunas secciones del periódico. Conéctalas con las definiciones o explicaciones que se ofrecen en la columna B.

A	B
1. Portada	a) Parecer del diario como institución social y política sobre los temas de actualidad.
2. Editorial	b) Actualidad de la vida política y jurídica del país.
3. Cartas al director	c) Información política que procede de los corresponsales extranjeros.
4. Sociedad	d) Primera página de un periódico. Sirve de resumen de los contenidos que se desarrollan en el interior.
5 Cultura	e) Asuntos relacionados con empresas, negocios, finanzas, banca y bolsa.
6 Economía	f) Sección en la que los lectores expresan su opinión.
7. Internacional	g) Información sobre fútbol, tenis, natación, campeonatos, etcétera.
8. Nacional	h) Noticias relacionadas con el teatro, cine, música, bellas artes, literatura y pensamiento.
9. Deportes	i) Sucesos, accidentes, ciencia, medio ambiente, enseñanza, etcétera.

5. Para ver si lo has entendido bien, contesta y define con tus propias palabras las siguientes preguntas.

a. ¿Qué es la portada?

____

b. ¿Qué función cumplen el editorial y las cartas al director?

____

____

c. ¿Quién proporciona la información internacional?

____

____

d. ¿Qué aspectos cubre la sección de sociedad?

____

____

e. ¿Qué información encuentras en la sección de economía?

____

f. ¿Dónde se puede encontrar información sobre cine y teatro?

____

...Y REPASAMOS LA GRAMÁTICA

Oraciones de relativo: contraste entre indicativo y subjuntivo

Indicativo	Subjuntivo
Las frases de relativo sirven para identificar o describir **algo** o a **alguien**. Ese algo o alguien se llama antecedente. Si el **antecedente** es conocido, se usa indicativo:	Cuando no sabemos si existe o no ese **algo** o **alguien** que describimos, o no podemos identificarlo, es decir, si el antecedente es desconocido, se usa el subjuntivo:
Nombre (antecedente) + **que/donde** + indicativo.	Nombre (antecedente) + **que/donde** + subjuntivo.
*Una chica **que estudia** conmigo en la escuela.*	*Busco a una chica **que hable** español sin acento.*
*Un restaurante **donde como** todos los días.*	*¿Conoces algún restaurante **donde se prohíba** fumar?*

6. Relaciona las frase de la columna A con las de la columna B de modo que las oraciones resultantes tengan sentido.

A		B
1. Buscan a un profesor	**que** **donde**	a) está en un barrio muy tranquilo.
2. He encontrado una casa		b) sabe hablar inglés muy bien.
3. Voy siempre a un bar		c) tenga frases con ejemplos.
4. Conozco a una chica		d) haya campo de golf.
5. Vimos una moto		e) ocupe poco espacio.
6. Quiero un diccionario		f) sirven toda la noche.
7. Necesito una mesa		g) sea bilingüe.
8. Busco un hotel		h) era de la Segunda Guerra Mundial.

7. Ahora, completa tú estas oraciones con indicativo o subjuntivo, según los antecedentes.

a. Busco un coche que no ______________ (consumir) mucha gasolina.

b. Tengo un coche que no ______________ (consumir) mucha gasolina.

c. Conozco un sitio donde ______________ (poderse) bailar, comer y beber hasta muy tarde.

d. Quiero comprar algo que ______________ (servir) para la tos. Estoy fatal.

e. Tengo ganas de ir a un lugar donde ______________ (escucharse) jazz, pero no conozco ninguno en esta ciudad.

f. Necesito un empleado que ______________ (poder) trabajar los sábados por la mañana.

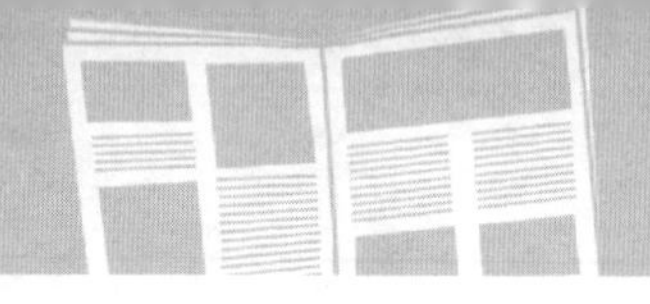

ESCRIBIMOS EL BORRADOR

En una carta al director de un periódico podemos redactar distintos tipos de textos: una opinión, un pensamiento, una reflexión, una anécdota e incluso una queja. Todos estos tipos los hemos ido repasando en las unidades de este libro.

8. A la sección de Cartas al Director de un periódico han llegado los siguientes textos, de los cuales se han extraído solo algunos fragmentos. Léelos con atención.

Cartas al director

Si tiene algo que decir, escríbanos

LOS PLÁSTICOS
Las botellas de plástico me parecen muy prácticas, porque las puedes tirar directamente a la basura. En cambio, como ahora dicen que hay que reciclar el vidrio, usar botellas de cristal es un rollo, porque luego las tienes que llevar a un contenedor.

LA TELEVISIÓN
Cuando estoy en casa me gusta tener la televisión encendida, porque así siento que no estoy solo.

EL COCHE
Sí, ya sé que el coche contamina, pero la verdad es que a mí me gusta conducir y, en cambio, no me gustan los transportes públicos.

EL BAÑO
En otros sitios hace falta agua, pero como aquí nos sobra, ¿por qué no me voy a bañar largo? Está claro que es mucho más relajante una bañera llena que una ducha rápida.

EL TODOTERRENO
Me encanta ir por el monte con el todoterreno, es muy emocionante. Ya sé que en la ciudad no lo necesito, pero la verdad es que es muy cómodo.

9. ¿Qué opinas de estos fragmentos? ¿Te producen alguna reacción?

Escoge uno de ellos y prepara el borrador de una carta para enviar al director del periódico local.

Utiliza todo lo que has aprendido en esta y en otras unidades. Haz una lluvia de ideas, ordénalas, escoge los conectores adecuados, piensa en los consejos prácticos de la segund página de esta unidad y utiliza el vocabulario aprendido hasta ahora.
No descuides la gramática.

Puedes empezar así:

No me parece bien que la gente utilice el coche para ir a todos sitios, ya que los coches contaminan y, además, producen mucho ruido. Por ello, creo que es mejor utilizar el transporte público. Yo siempre busco una alternativa que sea económica y ecológica, como la bicicleta o ____________________

____

____

____

____

____

Y CORREGIMOS LA TAREA FINAL

10. Escritura creativa

Hemos llegado al final del libro y te corresponde ahora escribir tu última tarea.

Piensa en algún tema de actualidad que te gustaría comentar, criticar, denunciar, celebrar, analizar o, simplemente, describir. Redacta una carta para el director de un periódico en la que expreses tus ideas. Apóyate en todo el vocabulario, la gramática, los consejos y recomendaciones entregados en esta y en otras unidades.

Aquí tienes algunas ideas... ¡Buena suerte!

- Cosas que me deprimen.
- Cosas que me divierten.
- Cosas que me aburren.
- Cosas que no soporto.
- Temas que me preocupan a mí.
- Cosas que preocupan a la gente.
- Cosas que me gusta discutir.
- Temas que no soporto.
- Otros.

EVALÚA TU PROGRESO

En este bloque has practicado cómo:

- Plantear una queja.
- Hacer una reclamación.
- Responder a una queja.
- Expresar sorpresa o extrañeza.
- Argumentar una opinión.
- Escribir una carta al periódico.

1. Para llevar a cabo estas tareas has ampliado tu gramática y vocabulario. ¿Recuerdas el uso de los conectores discursivos? Aquí te presentamos algunos que ya has visto y otros que no. ¿A cuál de las siguientes funciones corresponde cada grupo?

– Iniciar una argumentación
– Añadir información
– Introducir una opinión contraria
– Introducir una objeción
– Ordenar las razones y argumentos
– Introducir una opinión
– Señalar evidencias
– Terminar una argumentación

Anadir información		
Además Es más Incluso Cabe señalar/añadir... Por un lado... Por otro (lado)... Por una parte... Por otra (parte)...	En primer lugar En segundo lugar Por último Finalmente	Evidentemente Ciertamente La verdad es que Sin duda
Opino que Según Creo que A juicio de	Por el contrario En cambio A pesar de	Para empezar Antes que nada
Sin embargo No obstante Ahora bien	En resumen Para concluir Finalmente	

2. Completa esta carta, dirigida a la sección sentimental de un periódico, con los siguientes conectores:

porque (2) incluso por eso sin embargo aunque

EVALUACIÓN DEL BLOQUE 5

Querida doctora:

Le escribo *porque* (1) no sé qué hacer. Me he enamorado locamente de mi jefa, y creo que ella también de mí. ______________ (2) yo le he asegurado que mi amor es sincero, ella no confia en mí y no me acepta, ______________ (3) le he pedido que se case conmigo. ______________ (4), ella no quiere oir hablar del tema ______________ (5) dice que soy demasiado joven. Yo le he jurado que estoy dispuesto a todo, ______________ (6) a dejar el trabajo si es necesario. ¿Qué me aconseja?

3. Como ya sabes, las secciones de un periódico suelen corresponder a distintos géneros periodísticos. Relaciona cada género con su definición.

1. Artículos de opinión 2. Cartas al director 3. Editorial 4. Noticias	a) Expresan las opiniones de los lectores sobre temas relevantes para ellos. Son breves, con lenguaje claro y directo. Siempre van firmadas. b) Se refieren a temas culturales, científicos o políticos. Van firmados y representan una reflexión o una valoración sobre el tema del cual se escribe. c) Representa la opinión del diario en relación con un tema o problema. No se firma. d) Ofrecen información sobre un hecho actual de forma breve pero completa. Se refieren a hechos recientes, de última hora o al seguimiento de un hecho de interés general. Tienen estructura piramidal, es decir: titular, resumen de la información y desarrollo.

. Completa los diálogos y oraciones con los subjuntivos del recuadro.

hayan acabado – hayan despedido– haya tocado

a. ¿Es cierto que han despedido a María de su trabajo?
 – Sí, pero me parece muy extraño que la ______________, es muy trabajadora.

b. Es magnífico que les ______________ la lotería. Me alegro por ellos.

c. ¡Qué lástima que se ______________ las entradas al cine! Quería ver esa película.

Hablando de las tareas realizadas en el bloque 5: ¿Cuál de ellas te ha parecido más útil, mas difícil, más interesante o más fácil?

¿Cuáles son los temas que más te preocupan? Haz una lista y escribe sobre uno de ellos. Utiliza un formato de carta al periódico y no olvides firmarla. Emplea el vocabulario y la gramática aprendida en el bloque 5.

¿?............

SOLUCIONES

SOLUCIONES

Bloque 1

Unidad 1

1. Modelo de respuesta:
   a) Es una chica joven, posiblemente estudiante, soltera pero tiene novio. Es moderna y muy activa. Le gusta la naturaleza en general y las flores en particular. Vive sola y tiene muchos amigos.
   b) Un ordenador portátil con un teclado estándar y una impresora.
   c) Respuesta libre.
2. Respuesta libre.
3. Respuesta libre.
4. Respuesta libre.
5. Respuesta libre.
6. Modelo de respuesta:
   a) Quiero practicar el español escrito para enviar correspondencia a mis amigos españoles.
   b) Principalmente escribiré correos electrónicos.
   c) Cuando escriba me dirigiré a mis amigos en un tono informal.
7. b) Prepararse para algo.
8. Respuesta libre.
9. Responder según la lengua materna.
10. 1f / 2e / 3a / 4c / 5b / 6d.
11. a) ¿Tienes el último disco de Maná? –Sí, sí lo tengo.
    b) ¿Has visto la última película de Pedro Almodóvar? –No, todavía no la he visto.
    c) ¿Te he dicho que María ha vuelto? –No, no me lo has dicho.
    d) ¿Os han enviado las entradas para el concierto? –Sí, ya nos las han enviado.
    e) ¿Te dijo ayer Roberto qué quería para su cumpleaños? –No, no me lo dijo.
12. Modelo de respuesta:
    Me gustaría tener una ventana amplia y poder ver a la gente que está afuera.
    También me gustaría tener los siguientes objetos:
    - una lámpara
    - unos diccionarios
    - unos bolígrafos de colores
    - unos lápices
    - un sacapuntas
    - una goma de borrar
    - papel
    - un ordenador portátil
    - una impresora
13. Modelo de respuesta:
    a. ¿Dónde te gusta escribir? –En mi habitación, sentado al ordenador.
    b. ¿Acudes a algún lugar especial? –A veces voy a la biblioteca.
    c. ¿Tienes algún hábito o ritual para escribir? –Enciendo incienso en mi habitación.
    d. ¿Cómo es el lugar ideal para ti? –Amplio, silencioso, con mucha luz natural y frente al mar.
    e. Describe el espacio en el que te encuentras. –Estoy sentado en el comedor de mi casa. Es pequeño pero tiene mucha luz. Hay unas estanterías alrededor con muchos libros y hay un gran espejo en la pared.

14. Modelo de respuesta:

dar las gracias
dejar las llaves
regar las plantas
sacar al perro
dar de comer al perro
encender las luces
recoger el correo
tirar la basura
escuchar los mensajes

15. Respuesta libre.

Unidad 2

1. Modelo de respuesta:
   a. Hice un examen de matemáticas la semana pasada.
   b. Estaba nervioso.
   c. Sí, porque las matemáticas son muy difíciles para mí.
   d. Sí.
3. Puntos débiles: conversación y comprensión oral.
   Puntos fuertes: comprensión de lectura, escritura, gramática y vocabulario.
4. siento que..., me cuesta...
5. Intercambiar experiencias.
6. Respuesta libre.
7. 1-f) tabulador 2-c) mayúsculas 3-b) escape
   4-e) inicio 5-a) borrar 6-d) introducir
8. Posible modelo de respuesta.
   a. Si encontrara una cartera con dinero efectivo y con un documento de identidad que parece falso, *la entregaría a la policía.*
   b. Respuesta libre, siguiendo el modelo de a.
   c. Respuesta libre, siguiendo el modelo de a.
   d. Respuesta libre, siguiendo el modelo de a.
9. Modelo de respuesta:
   Estimada Linda:
   Soy Carlos Bocheri. Soy italiano pero vivo en Los Ángeles desde hace cuatro años. Trabajo para una compañía de calzado italiana. He estudiado español durante los últimos tres años pero todavía necesito practicar mucho más para mejorar mi acento. Mis puntos fuertes son la escritura y la conversación. Mis puntos más débiles son el acento, la pronunciación y la comprensión: no entiendo todo lo que oigo.
   Podemos quedar una vez por semana, cerca de tu casa. Te llamaré la próxima semana, ¿vale?
   Saludos,
   Carlos
10. Respuesta libre.
11. Respuesta libre.

Unidad 3

1. Modelo de respuesta:
   a. En su habitación.
   b. Un cuaderno y un lápiz.
   c. Sí, porque se ve concentrada y sonriendo.
2. Respuesta libre.
3. Respuesta libre.
5. Respuesta libre.

6. Clasificación de las actividades:

Actividades de casa	Actividades de escuela	Actividades del trabajo
trabajar en el jardín lavar la ropa hacer la limpieza cocinar usar el ordenador	hacer los deberes usar la biblioteca hacer exámenes estudiar ir a clases usar el ordenador	tener reuniones llamar por teléfono escribir correos electrónicos hacer informes hablar con el jefe comer con clientes usar el ordenador enviar faxes

7. 1. b) telefax
   2. c) impresora
   3. d) escáner
   4. e) escritorio
   5. a) ratón

8. Si sales de vacaciones **no olvides** seguir algunas recomendaciones:

   Cierra todas las puertas y ventanas de la casa con seguro. **Apaga** las luces y **deja** bien cerrados los grifos del agua. **Pídele** a un vecino que de vez en cuando riegue las plantas. **No permitas** que se acumule la correspondencia ni los periódicos, porque esto indica que la casa esta sola. **Llama** a tu vecino para saber si hay alguna novedad y, cuando vuelvas, **no te olvides** de traerle algún regalo. Por supuesto, **dale** las gracias.

10. Respuesta libre.
11. Respuesta libre.
13. Respuesta libre.

Evaluación del bloque 1

1. Vocabulario. Modelo de respuesta:

Las herramientas de escritura	El procesador de textos y el teclado español	Hablar de fortalezas y debilidades. Expresar dificultad	Describir espacios
una agenda electrónica un bolígrafo un ordenador un lápiz una pluma un ordenador portátil	arroba archivo cursiva subrayar edición deshacer ver guardar insertar negrita herramientas rehacer formato tabla ventana	Para mí lo más fácil... Me cuesta mucho... Lo más fácil Se me da fatal / mal Se me da muy bien	acogedor cálido silencioso ordenado ......

2. Respuesta libre.
3. Algunos usos del condicional: expresar deseos; proponer algo; hacer sugerencias, aconsejar y expresar cortesía.
4. Respuesta libre.
5. Algunos usos del imperativo afirmativo: dar órdenes, dar instrucciones, aconsejar, invitar y ofrecer cosas.
6. Función del imperativo negativo: expresar prohibición.
7. Respuesta libre.
8. Respuesta libre.

Bloque 2

Unidad 4

1. Modelo de respuesta:

   Es una familia pequeña. Son tres: un padre, una madre y un niño. Están sonriendo y van cogidos de la mano. Es una escena familiar y que ocurre en un escenario exterior. Son dos generaciones que sienten cariño entre ellos. Los padres se ven muy felices con su hijo. Ambos padres son jóvenes. Él es Moreno y lleva el pelo corto. Ella es delgada y lleva pelo largo. El niño es muy rubio.
3. a. Es el abuelo de Carlitos: José.

   b. Es la nieta de Natalia: Camila.

   c. Es el sobrino de Enrique: Carlitos.

   d. Es el tío de Camila: Enrique.
4. Modelo de respuesta:

   Enrique es alto y delgado. Tiene el pelo largo, rubio y liso. Lleva pantalones cortos y una camisa.
5. Está jubilado. Era abogado.
6. Partes de la carta:

Lugar y fecha

Buenos Aires, 5 de noviembre de 2006

Saludo

Querida familia:

Cuerpo

Les escribo desde Buenos Aires para contarles que ya he empezado las clases en la universidad y que todo está saliendo muy bien. Mis profesores son excelentes, los cursos interesantes y mis compañeros muy simpáticos.

Ayer tuve mi primer examen y creo que me fue bastante bien. Al principio del curso estaba un poco nervioso y desorientado, pero ahora me siento mucho mejor. La verdad es que me he adaptado muy bien y, aunque los echo de menos, ya me he acostumbrado a esta ciudad.

Introducción a la despedida

Espero que todo esté bien por Santiago. Pronto volveremos a vernos, ya que tengo planeado ir a visitarlos en navidades. ¡Que ganas tengo de verlos!

Despedida

Besos y abrazos.

Signatario (firma)

Nombre (y apellido)

7. Ayer **me acosté** tarde porque salí a bailar con mi novia. **Estuvimos** en la Disco hasta las dos de la madrugada y luego, antes de volver a casa, **pasamos** por un bar para comer un sándwich y **tomamos** chocolate caliente. Hoy **me he levantado** tarde porque estaba muy cansado. **Desayuné** a las nce, **almorcé** a las dos y media y **cené** a las nueve de la noche.
8. Bien escritas: arcángel, arrecife, Ramón, enredado

   Mal escritas: enrraizado (enraizado), rratón (ratón),
9. **Una fiesta sorpresa**

   Mis hermanos y yo siempre hemos sido muy buenos amigos. Ayer fue el cumpleaños de mi hermano Pablo. Yo quería festejarlo y decidí organizar una fiesta para él. Llamé a todos sus amigos y les dije que no debían decirle nada. Todos prometieron guardar el secreto. Mis otros hermanos y yo pusimos el equipo de música en el sótano. Yo grabé cintas de música bailable. Mi novia hizo un pastel y los amigos trajeron cerveza y vino.

   A la hora prevista yo fui a buscar a mi hermano a su trabajo. Volvimos a casa y mi hermano se llevó la sorpresa de su vida cuando él y yo entramos. Nos divertimos muchísimo. Muchos amigos que estudiaban con nosotros en la escuela secundaria y aun en la primaria vinieron para estar con él. Fue una fiesta estupenda.

   Esta mañana mis hermanos y yo hemos limpiado el sótano y hemos ordenado la casa. Sin embargo, todavía no ha desaparecido el olor a cerveza y a cigarrillos.
10. Respuesta libre.
12. Modelo de respuesta:

   Chicago, 10 de Julio de 2006

   Querido Juan Carlos:

   Espero que estés muy bien, disfrutando de tus merecidas vacaciones.

   Yo me encuentro en Santiago de Chile, estudiando español en un curso intensivo en la Universidad de Chile. El curso es excelente y la gente es muy amable en esta ciudad. Vivo con una familia chilena que son como mis padres. En esta familia tengo dos hermanos con los que salgo a diario a conocer la ciudad. Ayer visitamos el cerro Santa Lucía que es espectacular. Tiene un funicular que te sube a la cima del cerro y desde allí contemplas toda la ciudad. Lo pasamos muy bien. Espero que tu también puedas visitar algún día esta encantadora ciudad.

   Te deseo unas felices vacaciones y hasta pronto.

   Recibe un fuerte abrazo.

   Tu amigo,

   Jean Michelle

Unidad 5

1. Respuesta libre.
2. Respuesta libre.
3. ¿Qué ofrece este anuncio? Servicios de viaje.

   ¿Cómo puedo contactarme con ellos? Por teléfono.
4. a. amplia disponibilidad: gran variedad

   b. ponerme en contacto: contactarme

   c. organice: planifique
5. Pretérito indefinido: vine, fue, salí, conocí, pasamos. El pretérito indefinido indica la acción principal.

   Pretérito imperfecto: vivía, estudiaba, veníamos. El pretérito imperfecto describe las circunstancias en torno a las acciones.

6. a. Es una ciudad muy bonita. – ¡Qué ciudad tan bonita!
   b. Es gente muy amable. – ¡Qué gente tan amable!
   c. Estuve en una fiesta espectacular. – ¡Qué fiesta tan espectacular / entretenida!
7. a. Mis padres siempre vienen **a donde** yo estoy.
   b. Aquella es la discoteca **adonde** voy los fines de semana.
   c. ¿**Adónde** vamos?
8. Usos de los imperfectos:
   a. Su novio era un chico muy atractivo. Llevaba el pelo largo, tenía los ojos verdes y era muy moreno. Además era muy simpático. – Descripción física y de carácter.
   b. En ese tiempo éramos muy pobres. – Situación cirscuntancial del pasado.
   c. Cuando era pequeño, todos los domingos íbamos a misa y después almorzábamos en casa de mis abuelos. – Acción habitual del pasado.
10. Respuesta libre.
11. Modelo de respuesta:

    Recuerdo mi primer viaje solo, sin familia, como algo muy especial. Yo tenia 16 años, estaba en el colegio en tercer año medio y me gustaba mucho una chica que estaba en mi clase. Se llamaba Claudia. Ella iba de vacaciones a un pueblo en el sur de Chile llamado Pichilemu. Por eso, decidí ir a verla en esas vacaciones y conocer este pueblo. Pichilemu era una caleta de pescadores con una playa muy bonita. El mar era muy azul y siempre había grandes olas. Aunque pequeño el pueblo era muy pintoresco y divertido.

    Cuando llegué, busqué a Claudia y no la pude encontrar hasta el tercer día. Ese día nos encontramos en la playa y desde ese momento no nos separamos más.

    Todo ha cambiado mucho en los últimos años. Pichilemu antes era una pequeña y rústica caleta de pescadores, hoy es un balneario muy turístico, con hoteles y restaurantes en todas partes. Ella y yo también hemos cambiado. Antes éramos jóvenes e idealistas y ahora somos personas de negocios. Todo cambia en esta vida, ¿verdad?

Unidad 6

1. Secuencia de respuesta libre.
3. Modelo de respuesta:

   A las ocho de la noche una pareja llegó a un restaurante muy elegante para una cena romántica. Ella pidió un primer plato a base de verduras y legumbres y un segundo plato a base de pescado y vegetales. Él tenía mucha hambre y pidió carnes, ensaladas, pastas y vino. Después de cenar, él le dijo a la chica que quería pedirle algo. Ella estaba nerviosa. Él la miró a los ojos y le dijo sonriendo que quería casarse con ella porque la amaba profundamente. Ella se emocionó hasta alas lágrimas y aceptó. Pidieron la cuenta y, cuando el camarero la trajo, él se dio cuenta de que no tenía la cartera y que no traía dinero consigo. Ella tampoco tenía dinero. Total que ambos tuvieron que lavar los platos por no poder pagar la cuenta. ¡Vaya forma de terminar tan romántica cena!
4. A: ver la tele.

   B: ir a una discoteca.

   C: dar un paseo.

   D: practicar deportes.

   E: hablar por teléfono.
5. a. Suspendió los exámenes porque no había estudiado.
   b. ¿Sabes por qué no hay clases el viernes?
   c. Algún día entenderé el porqué de tu conducta.
6. a. Hoy por la mañana el mundo **se ha enterado** de que Arafat, el líder palestino, **había fallecido / falleció** anoche.

b. Esta mañana yo **he leído** que los palestinos **habían elegido / han elegido** a Abas como su nuevo presidente.

c. Ayer, el presidente de Chile, Ricardo Lagos, **recibió** el informe que la Comisión Nacional sobre Detención Política y Tortura **había escrito** sobre la dictadura de Pinochet. Para el informe, la Comisión recogió testimonios de 35.000 personas que **habían sido** torturadas.

7. Secuencia de respuesta libre.
9. Respuesta libre.
10. Respuesta libre.

Evaluación del bloque 2

1. Secuencia de respuesta libre.
2. Modelo de respuesta:
   a. Antes no había teléfonos móviles, pero ahora todo el mundo tiene uno.
   b. Antes poca gente viajaba en avión, pero ahora es muy común hacerlo.
   c. Antes mi pueblo estaba muy aislado y no había extranjeros, pero ahora está lleno de turistas.
   d. Antes yo era muy bohemio. Salía casi todas las noches y fumaba mucho. Ahora soy muy tranquilo, ya no fumo y casi no salgo en la semana.
3. Secuencia de respuesta libre.
4. Respuesta libre.

Bloque 3

Unidad 7

1. Modelo de respuesta:
   A: Los pesticidas.
   B: Las religiones.
   C: La contaminación ambiental.
   D: La amistad.
2. Respuesta libre.
3. Respuesta libre.
5. Es una combinación de textos denominada blog.
6. Respuesta libre.
8. Respuesta libre.
9. Ya no es necesaria la intervención de técnicos o diseñadores de páginas web, ni de grandes inversiones en dinero para publicar en la red. Cualquier persona puede hacerlo de forma simple y gratuita.
10. Modelo de respuesta:
   a. En mi opinión la televisión es un medio de comunicación muy importante.
   b. Me parece que la música rap es la mejor para bailar.
   c. Creo que los ordenadores son muy complicados.
11. Conceptos y definiciones:
   1. Web – d) Universo de información accesible a través de Internet. Fuente inagotable del conocimiento humano.
   2. Sitio web – b) Conjunto de archivos electrónicos y páginas web referentes a un tema en particular.
   3. Internet – e) Sistema mundial de redes de computadoras, integradas por las redes de cada país, por medio del cual un usuario, desde cualquier computadora puede acceder a la información disponible.

4. Página web – c) Documento electrónico que contiene información específica de un tema en particular, almacenado y conectado a Internet para su consulta.
5. Virus – a) Código de programación disfrazado como documento que genera un daño inesperado en el ordenador.

12. Una compañera de cuarto difícil

    Comparto el apartamento con una chica muy mandona. Constantemente me pide que **haga** tal cosa, que no **deje** de hacer la otra, que **me acuerde** de hacer algo más. Me **prohíbe** que **toque** sus discos y no me **permite** que **use** su computadora. Me molesta que ella se **crea** superior a mí. ¡A veces hasta interfiere en mi vida sentimental! Me aconseja que no **llame** a mi novio todos los días y me sugiere que lo **ponga** celoso y que **salga** también con otros chicos. Mis amigos conocen la situación y se admiran de que no **me mude** de apartamento. Sin embargo, dudo que **pueda** aguantar mucho más. Estoy segura de que **me iré** pronto.

13. Respuesta libre.
14. Modelo de respuesta:

    Anuncio: SIÉNTETE LIBRE

    En mi opinión, este anuncio manipula a los lectores, porque asocial la libertad con el hecho de conducir un coche moderno y lujoso. La libertad no tiene nada que ver con el consumo de automóviles. Estoy de acuerdo con el hecho de poder elegir el coche que uno quiera, pero no me parece adecuado asociar el concepto de la libertad con el consumo. Por supuesto que yo también conduzco un coche, pero considero que la publicidad muchas veces nos engaña y nos confunde. Yo diría que este anuncio es, por lo menos, engañoso.

15. Respuesta libre.

Unidad 8

1. Modelo de respuesta:

   La mujer habla por teléfono en el trabajo y escribe unas notas. Puede ser que esté hablando con un cliente que quiere comprar un ramo de flores.

2. Secuencia de respuesta libre.
4. Modelo de respuesta:

   Marcelo:

   Ha llamado Carlos. Dice que mañana terminarán las obras del cuarto de Camila, y que ya no le va a hacer falta el taladro que le prestaste. Dice también que la próxima semana te traerá el taladro, antes de irse de vacaciones. Que si lo necesitas antes puedes ir a buscarlo. Te envía saludos.

6. Verbos que sobran:

   a. pedir

   b. regalar

   c. comentar

7. Cambios necesarios:

   a. “Compra pan, por favor”. – Dice que compres pan, por favor.

   b. “Regálame un libro”. – Dice que le regales un libro.

   c. “Vete a casa”. – Dice que te vayas a casa.

   d. “Cuéntame un chiste”. – Dice que le cuentes un chiste.

   e. “Siéntate”. – Dice que te sientes.

   f. “Consigue un trabajo”. – Dice que consigas un trabajo.

   g. “Intenta comer más sano”. – Dice que intentes comer más sano.

8. Formas adecuadas:

   a. Juan, al único que engaña es a sí mismo.

b. Tendrás que venir a trabajar el sábado y el domingo. Asimismo el lunes abriremos la tienda más temprano.

c. Me gusta este lugar como está. Yo lo dejaría así mismo.

9. Modelo de respuesta (posible diálogo):

■ Hola, Julia, qué suerte que me encuentro contigo. ¿Cómo estás?

– Bien, ¿y tú?

■ Bien también. Julia, perdóname por no haberte conseguido las entradas. La verdad es que se me olvidó completamente.

– ¿Qué dices? ¡No lo puedo creer! ¿Cómo has podido?

■ Lo siento de verdad, es que...

– ¿Sabes una cosa? No tiene importancia. Muchas gracias de todas formas por la intención. Ahora te dejo, que voy atrasada. Ah, y feliz cumpleaños; es hoy, ¿verdad?

......

10. Modelo de respuesta:

Juan Carlos me contó que está enamorado de una chica de su clase de inglés. Como es muy tímido, me pidió que lo ayudara con la chica. Yo le dije que estas cosas son personales, tiene que resolverlas uno mismo. Lo convencí y se decidió a llamarla por teléfono e invitarla a salir. Le dije que me parecía una excelente idea. La verdad es que yo creo que en cosas de amor solo los interesados pueden intervenir.

Unidad 9

1. Modelo de respuesta:

La mujer está leyendo en su trabajo, en la oficina. Lee un informe.

El niño está leyendo en un parque. Lee un cuento.

El hombre está leyendo en el jardín de su casa. Lee una novela.

2. Respuesta libre.
3. Respuesta libre.
5. Expresiones con significado similar:

a. Aspiro a... – Pretendo conseguir...

b. Echo de menos... – Me falta, siento nostalgia...

c. Sueño con... – Tengo muchas ganas de...

d. Me estoy acostumbrando... – Me estoy habituando a...

6. Cuando + subjuntivo: señala una acción aún no realizada, se refiere al futuro.

Cuando + indicativo: señala una acción habitual o cotidiana.

7. Respuesta libre.
8. Los domingos por la noche, Jorge y Francisca **se acuestan** tarde, aproximadamente tres horas después de cenar. Antes de **acostarse** leen el periódico, se cepillan los dientes y preparan la ropa del lunes. Por la mañana tardan mucho en **despertarse**. Jorge es el que **se levanta** primero, **se quita** el pijama y **se ducha** con agua fría. Después de unos minutos, entra en el cuarto de baño Francisca, y Jorge **se afeita** la barba y el bigote. Mientras Francisca termina de ducharse y de **secarse** el pelo, Jorge prepara el desayuno. Después los dos van a la habitación, **se visten** con ropa bastante formal y **se van** a sus trabajos.
9. Secuencia de respuesta libre.
10. Respuestas usando **cuando** + subjuntivo:

a. No puedo ir al banco. No he terminado con el informe. – Ve cuando termines.

b. No puedo pagarte. No tengo dinero. – Págame cuando tengas dinero.

c. No podemos acompañarte. Carlos aún no ha llegado. – Acompáñenme cuando llegue.

d. No he comprado el periódico. Aún no he salido a la calle. – Cómpralo cuando salgas.

e. No puedo hablarte sobre este libro. Aún no lo he leído. – Háblame de él cuando lo leas.

11. Ricardo González, taxista: B.
    Carlos Pérez, pintor: C.
    Laura Delgado, estudiante: A.
12. Respuesta libre.
13. Respuesta libre.
14. Respuesta libre.

Evaluación del bloque 3

1. Clasificación de los verbos:

Verbos de entendimiento, percepción y lengua	Verbos de influencia	Verbos de sentimiento
saber creer imaginar ver oír opinar contar suponer sospechar	querer necesitar lograr conseguir hacer aconsejar recomendar permitir	gustar encantar molestar fastidiar temer sorprender dudar agradecer lamentar soportar

2. Se usa el subjuntivo en las oraciones subordinadas con verbos de influencia y de sentimiento.
3. Se usa el indicativo con verbos de entendimiento, percepción y lengua.
4. Modelo de respuesta:
   Con verbos de entendimiento, percepción y lengua:
   – Sé que eres muy sincero.
   – Sospecho que mientes.
   Con verbos de influencia.
   – Necesito que me ayudes.
   – Te aconsejo que veas a un médico.
   Con verbos de sentimiento.
   – Me sorprende que no me creas.
   – Me molesta que me digas esas cosas.
5. Secuencia de respuesta libre.
6. Respuesta libre.

Bloque 4

Unidad 10

1. Secuencia de respuesta libre.
2. Respuesta libre.
4. Definiciones:
   1. El entrevistado. – d) Persona que responde a las preguntas.
   2. El entrevistador. – c) Persona que hace la entrevista.
   3. El suplemento dominical. – g) Sección del diario dedicada a temas culturales.
   4. Consagrado. – a) Reconocido, famoso.

5. Novato. – b) Principiante, neófito.
6. Contestar con monosílabos. – e) Contestar únicamente con sí y no.
7. Dar juego. – f) Favorecer o ser beneficioso o útil para algo.

5. Antónimo de *facilitar*: *dificultan*.
   Antónimo de *novato*: *consagrado*.
6. Modelo de respuesta:
   a. Arrojar luz: enseñar, clarificar, explicar los procedimientos.
   b. Tener muchas tablas: tener mucha experiencia.
7. Explicación de las características:

Sustantivos	**Adjetivos**
Trabajar → capacidad de trabajo	Flexibilidad → persona flexible
Haber trabajado → experiencia laboral	Puntualidad → persona puntual
Organizar → capacidad de organización	Motivación → persona motivada
Liderar → capacidad de liderazgo	Organización → persona organizada
Iniciar proyectos → tener iniciativas	Responsabilidad → persona responsable
Solucionar → encontrar soluciones	Creatividad → persona creativa
Ambicionar → tener ambiciones	Versatilidad → persona versátil

8. Cualidades imprecindibles:
   - Habilidades sociales.
   - Espíritu de trabajo.
   - Experiencia técnica.
   - Motivación y espíritu de equipo.
   - Capacidad organizativa.
   - Disponibilidad inmediata.
   - Manejo de ordenadores.
9. a. ¿**Qué** actividades de ocio prefieres, las de acción o las más tranquilas?
   b. ¿**Cuál** de estos libros estás leyendo ahora?
   c. ¿En **qué** película aparece tu actor preferido?
   d. ¿Entre estos cuadros, **cuáles** crees que son los mejores?
11. Secuencia de respuesta libre.
12. Respuesta libre.
13. Respuesta libre.

Unidad 11

1. Profesiones:
   A: Científico
   B: Bombero.
   C: Camarero.
   D: Médico.
   E: Pescador.
   F: Minero.
2. Respuesta libre.

3-4. *Curriculum vitae* completo:

CURRICULUM VITAE

A. **Datos personales**

Nombre y apellidos:	Luka Martínez
Lugar de nacimiento:	Buenos Aires, Argentina
Cédula de identidad:	9.574.254 - 8
Teléfono:	562 224 3924
Correo electrónico:	lmartinez@teleline.com

B. **Estudios**

- 2001-2002: Máster en Administración y Dirección de Empresas. Universidad de Buenos Aires.
- 1996-2001: Licenciado en Administración y Dirección de Empresas por la Universidad de Buenos Aires.

C. **Experiencia laboral**

- 1999-2000: Contrato de un año en la empresa COSTAL, S.L., realizando tareas administrativas.
- 1998-1999: Contrato de trabajo haciendo prácticas en Banco Buenos Aires.

D. **Idiomas**

- Inglés: nivel alto. Título de la Escuela Oficial de Idiomas.
- Italiano: nivel medio.
- Español: lengua materna.

E. **Datos de interés**

- Instructor de tenis.
- Miembro del cuerpo de bomberos de Buenos Aires.

F. **Aficiones**

- Coleccionista de antigüedades.
- Guía de viajes.

5. Información omitida:

   Fecha de nacimiento. La dirección postal. El permiso de conducir.

6. Señala si es verdadero o falso:
   a. Luka es mujer. **F**
   b. Luka tiene dos profesiones. **V**
   c. Entre sus aficiones está viajar. **V**
   d. La experiencia laboral está ordenada desde la fecha más reciente. **V**

7. Oraciones completas:
   a. María, he visto el **anuncio** en el periódico donde buscan enfermeras; ¿por qué no envías tu currículo?
   b. Marcos no tiene suerte, lleva dos meses **buscando** un trabajo y no lo encuentra.
   c. Cristina, ¿has enviado ya la **solicitud** de trabajo a la empresa de Jaime?
   d. En esta empresa el **sueldo** no es bueno, pero las condiciones de trabajo son estupendas.
   e. Mi padre **se jubiló** el año pasado con 65 años.
   f. Me ha dicho el director que si sigo así, pronto me va a **ascender** al puesto de jefe de de departamento.
   g. ¿Te has enterado? Lucía esta deprimida porque la **han despedido** después de muchos años de trabajo.
   h. Hace 6 meses que mi marido está **parado**, no encuentra trabajo y yo tengo que trabajar en dos sitios.

i. Yo creo que Marcelo es un chico que te conviene, tiene una empresa de informática con más de 20 **empleados**.

j. En mi nuevo trabajo **gano** más que antes, pero también trabajo mucho más.

8. Frases con **llevar**:
   a. Empezó a ducharse a las 8:00 y son las 8:30. – Lleva media hora duchándose.
   b. Los vecinos empezaron a discutir a las 4:00 y son las 4:45pm. – Llevan 45 minutos discutiendo.
   c. Su hijo empezó a estudiar derecho a los 19 años y ahora tiene 25. – Lleva seis años estudiando.
9. Opciones correctas:
   a. Mi novia **está estudiando** Derecho en Harvard.
   b. ¿Tú **sigues visitando** a tus abuelos los fines de semana?
   c. ¿Cuántos años **llevas viviendo** en Chicago?
10. Respuesta libre.
11. Respuesta libre.
12. Modelo de respuesta:

DATOS PERSONALES
Nombre y apellidos: Javier González.
Fecha de nacimiento: 10 de diciembre de 1965.
Lugar de nacimiento: Santiago de Chile.
Cedula de identidad: 9.574.251-7.
Dirección: Río Támesis 964. Las Condes. Santiago. Chile.
Teléfono: 224 39 24.
Correo electrónico: Jgonzalez@hotmail.com.

FORMACIÓN ACADÉMICA
2000 Doctorado en Sociolingüística.
1994 Master en Sociolingüística. Universidad Católica de Chile.
1991 Licenciatura en Sociología. Universidad Austral de Chile.

CURSOS Y SEMINARIOS
2003 Curso superior de nuevas tecnologías aplicadas a la enseñanza docente.
2002 Seminario sobre la enseñanza de idiomas a inmigrantes.
2001 Curso de Aulas multimedia.

EXPERIENCIA PROFESIONAL
2000-06 Jefe de Estudios. Instituto Cervantes de Chicago.
1994-00 Profesor titular de Lengua y Literatura. Instituto Cervantes de Chicago.
1991-93 Profesor auxiliar de Historia de la Sociología. Universidad de Santiago de Chile.

IDIOMAS
Inglés: Nivel C1 (avanzado).
Francés: Nivel B1 (intermedio).
Español: Hablante nativo.

OTROS INTERESES
Miembro del círculo de escritores hispanos en Chicago.
Socio de la Sinfónica de Chicago.
Miembro activo de la Sociedad Protectora de Animales.

13. Respuesta libre.

Unidad 12

1. Secuencia de respuesta libre.
3. Modelo de respuesta:

   La carta es demasiado breve, contiene errores en algunas puntuaciones, como acentos y comas. El destinatario es impreciso.
4. Respuesta libre.
5. Modelo de respuesta:
   - El tono debe ser servicial.
   - El lenguaje debe ser formal.
   - Debe ir dirigida a un destinatario concreto, debe ser clara y concisa.
8. a. Al de Product Manager o Jefe de producto.

   b. El autor utiliza lenguaje formal, trata al destinatario de «usted».

   c. La carta destaca la experiencia laboral, la formación académica, el carácter dinámico del remitente.
9. Respuesta libre.

Evaluación del bloque 4

1. Preguntas correctas o incorrectas:

a. ¿A cuál persona admiras?	MAL: ¿A qué persona admiras?
b. ¿Qué es tu nombre?	MAL: ¿Cuál es tu nombre?
c. ¿Cuál es tu mayor defecto?	BIEN
d. ¿Cuál coche prefieres?	MAL: ¿Qué coche prefieres?
e. ¿Cuál de estos coches prefieres?	BIEN
f. ¿En cuál piso vives?	MAL: ¿En qué piso vives?
g. ¿En qué número vives?	BIEN

2. Expresiones con gerundio:

   a. estar + gerundio: expresa una acción presente en curso.

   b. llevar + gerundio: expresa la continuidad de una acción.

   c. seguir + gerundio: expresa la continuidad de una acción.
3. Modelo de respuesta.

   a. Actualmente **estoy saliendo** con una chica española.

   b. **Llevo** dos años **estudiando** español.

   c. El próximo año **seguiré estudiando** español.
4. Diferencias entre cuestionario y entrevista:

EL CUESTIONARIO	LA ENTREVISTA
a. Preguntas fijas	a. Diálogo impredecible
b. Se puede responder solo	b. Se necesitan dos personas

5. Significado de curriculum y currículo:
   - *Currículum*: latinismo incorporado a la lengua española para referirse al historial profesional de una persona.
   - Currículo: equivalente del latinismo curriculum en lengua española.
6. La palabra currículo significa también plan académico
7. Partes de un *curriculum vitae*:
   - Datos personales.
   - Experiencia laboral.

- Formación académica (estudios).
- Idiomas.
- Aficiones.
- Otros datos de interés.

8. Algunas recomendaciones para la carta de presentación.
   - No repetir lo que indicamos en el CV, sólo destacar lo más importante o relevante.
   - Hablar siempre en tono positivo.
   - No caer en la pedantería al hablar de nuestras capacidades, aunque tampoco debemos subestimarnos nunca.
   - No utilizar un lenguaje muy efusivo y coloquial.
   - Evitar tanto un tono lastimero como uno prepotente.
   - Dirigirla a una persona en concreto, no a un destinatario genérico o indefinido.
   - Señalar los puntos fuertes por los que pensamos que deberíamos ser contratados.
   - La carta debe ser ordenada, clara, directa y concisa.
   - Utilizar un tono cordial, pero respetuoso. No tutear.
   - Evitar emplear frases rebuscadas o muy retóricas.
   - Escribir en párrafos cortos.
   - Utilizar frases breves y directas.
   - Escribir en primera persona.
9. Respuesta libre.

Bloque 5

Unidad 13

1. Modelo de respuesta:
   a. La mujer está comprando. Está en una tienda de discos. En sus manos tiene discos compactos.
   b. Respuesta libre.
   c. Respuesta libre.
   d. Respuesta libre.
3. Pretérito perfecto de subjuntivo. Sirve para expresar un deseo sobre una acción pasada de la cual se desconoce el resultado.
5. Modelo de respuesta:

   Estimados señores:

   Les escribo con la intención de presentarles una queja formal que ya he hecho constatar personalmente en su centro, queja que, **además** (1), tengo la intención de remitir a la oficina del consumidor.

   El pasado día 30 de julio acudí a su centro **para que** (2) me realizaran una simple depilación. Mi primera sorpresa fue el trato que recibí de la señorita que me atendió en recepción. Su actitud me hizo sentir que yo estaba pidiendo un favor y no comprando un servicio. **En otras palabras** (3), no cumplió con su trabajo como debía.

   En cuanto a (4) la depilación propiamente tal, como mujer que lleva muchos años depilándose puedo asegurarles que jamás en la vida había visto un trabajo peor hecho.

   Como (5) el miércoles 22 de julio tenía previsto un viaje a la playa, en cuanto llegué a mi casa y me vi las piernas tuve que buscar rápidamente la ayuda de otro centro **para que** (6) terminaran el trabajo que ustedes habían dejado a medio hacer. **A pesar de que** (7) se trataba de un centro con un prestigio mucho menor que el suyo, o tal vez **por eso** (8), me trataron como a la señora que soy y realizaron su trabajo a la perfección.

   De ustedes no puedo hacer ni un solo comentario positivo; **por un lado** (9), el estado del centro es deplorable; **por otro** (10), el servicio que me prestaron no fue satisfactorio y, **por último** (11), sus empleados me trataron mal.

Por todo ello (12), creo que jamás en la vida volveré a visitarles, **puesto que** (13) sus servicios no reúnen las condiciones mínimas que pueden exigirse a un centro de estas características. Espero que hayan aprendido de esta pésima experiencia y que corrijan sus deficiencias para garantizar que su centro ofrezca el servicio que promete en sus anuncios.

Atentamente,

Fdo. Josefina Andrade.

6. Pretérito perfecto de indicativo o de subjuntivo:
   a. Dudo que usted **haya visto** un puma en esta región.
   b. Yo sé que tú **has hablado** con tu jefe de este problema.
   c. No estoy seguro de que el director **haya dicho** la verdad.
   d. Lamento que no **hayas podido** venir al concierto.
   e. ¿No te molesta que tu jefe **haya leído** tu correo electrónico?
   f. Seguro que tú **has visitado** muchos países por tu trabajo.
   g. Hoy mamá **ha preparado** dulce de leche para nosotros.
7. Respuesta libre.
8. Modelo de respuesta:

Nombre: Roberto Martínez García.
Domicilio: C/ Monseñor Edwards, n.º 2732 A.
Montevideo, 38001. Uruguay.
Teléfono: 472 3933.

Montevideo, 14 de agosto de 2006.

Estimado señor González:

El día 27 de julio recibimos el pedido n.° 223 de vajillas correspondientes a la línea de productos "Artículos para el hogar". El propósito de esta carta es señalarle que este pedido venía incompleto y algunos de sus artículos dañados e incluso totalmente inservibles.

Nos es muy molesto tener que informarles que, de no reemplazar este pedido por uno nuevo y de forma inmediata, nos veremos en la triste obligación de suspender nuestras relaciones comerciales y de avisar a la oficina del consumidor.

Sin embargo, esperamos sinceramente que, antes de iniciar cualquiera de estas acciones, hayamos resuelto este problema de forma satisfactoria para ambas partes.

Sin otro particular le saluda atentamente,

José Hernández
Administrador General.
TODO PARA EL HOGAR S.A.

Unidad 14

1. Secuencia de respuesta libre.
3. En la carta se utiliza lenguaje formal.
4. La carta utiliza el pretérito perfecto de subjuntivo para expresar sorpresa y extrañeza.
5. El pedido ha llegado tarde y averiado.
6. Volver a enviar inmediatamente los productos, sin costo alguno.
7. Concluye la carta disculpándose.
9. Clasificación de los conectores:

- Presentar argumentos

  Empecemos por considerar... / Vamos a hablar de un tema que... / Lo primero que hay que decir es que... / Aquí hay que hablar de diferentes puntos... / Hay que tener en cuenta diferentes aspectos...

- Organizar argumentos

  Por una parte sí, pero por otra... / De acuerdo con... / Según...

- Añadir argumentos / oponerlos

  Otro hecho importante es que... / Es más, ... / Hay una diferencia fundamental entre... y... / Podemos tener en cuenta también que...

- Mostrar puntos de vista

  En mi opinión, ... / Lo que creo es que... / Estoy convencido de que...

- Concluir

  En conclusión, ... / Para finalizar, ...

10. Modelo de respuesta:
    a. Carlos dijo que llegaría pronto y todavía no ha llegado. – ¡Qué raro que no haya llegado!
    b. Tu hermano me ha dicho que no quiere saber nada de mí. – ¡Qué extraño que te haya dicho eso!
    c. ¿Sabías que Jorge y Daniela se han divorciado? – Me extraña que se hayan divorciado.
    d. José ha decidido dejar de trabajar. – Me sorprende que haya decidido dejar de trabajar.
    e. Son las 10 y mi madre todavía no ha llamado. – ¡Qué raro que no haya llamado!
    f. El director ha insistido en que trabajemos el sábado. – Me parece raro que haya insistido en eso.
    g. A mi novia no le ha gustado nada la última película de Spilberg. – Me extraña que no le haya gustado.

11. Modelo de respuesta.

Estimada señora Quintanilla:

En respuesta a su carta de reclamación, que hemos recibido recientemente, permítame expresarle mi extrañeza y sorpresa por lo ocurrido.

Nuestro producto ha sido elaborado con los más finos componentes de origen natural y ha sido probado exitosamente en muchos pacientes, como lo demuestran nuestras investigaciones y testimonios de clientes satisfechos. Me sorprende que en su caso no haya funcionado, pero entendemos su molestia.

Como prueba de ello, le enviaremos en los próximos días la devolución total del dinero invertido en la compra de nuestro producto. También le enviaremos una devolución por el dinero gastado en visitas efectuadas a especialistas que usted menciona, una vez que nos presente los documentos de prueba de dichas visitas.

Una vez más le ofrecemos nuestras sinceras disculpas por estos inconvenientes y esperamos servirle en una próxima oportunidad.

Atentamente,

Gonzalo Correa
Jefe de Atención al Cliente
SILUETA S. A.

13. Respuesta libre.

Unidad 15

1. Secuencia de respuesta libre.
4. Secciones del periódico:
   1. Portada: d) Primera página de un periódico. Sirve de resumen de los contenidos que se desarrollan en el interior.
   2. Editorial: a) Parecer del diario como institución social y política sobre los temas de actualidad.
   3. Cartas al director: f) Sección en la que los lectores expresan su opinión.
   4. Sociedad: i) Sucesos, accidentes, ciencia, medio ambiente, enseñanza, etcétera.
   5. Cultura: h) Noticias relacionadas con el teatro, cine, música, bellas artes, literatura y pensamiento.
   6. Economía: e) Asuntos relacionados con empresas, negocios, finanzas, banca y bolsa.
   7. Internacional: c) Información política que procede de los corresponsales extranjeros
   8. Nacional: b) Actualidad de la vida política y jurídica del país.
   9. Deportes: g) Información sobre fútbol, tenis, natación, campeonatos, etcétera
5. Modelo de respuesta:
   a. La portada es la primera página de un periódico. En ella se resumen los contenidos que se desarrollan en el interior.
   b. El editorial expresa la opinión del periódico. Las cartas al director recogen las opiniones de los lectores.
   c. Los corresponsales en el extranjero y las agencias de noticias proporcionan la información internacional.
   d. La sección de sociedad se ocupa de sucesos, accidentes, ciencia, medio ambiente, enseñanza, etc.
   e. En la sección de economía se encuentra información sobre asuntos relacionados con empresas, negocios, finanzas, banca y bolsa.
   f. La información sobre cine y teatro puede encontrarse en la sección de cultura.
6. Modelo de respuesta:
   1. g) Buscan a un profesor **que** sea bilingüe.
   2. a) He encontrado una casa **que** está en un barrio muy tranquilo.
   3. f) Voy siempre a un bar **donde** sirven toda la noche.
   4. b) Conozco a una chica **que** sabe hablar inglés muy bien.
   5. h) Vimos una moto **que** era de la Segunda Guerra Mundial.
   6. c) Quiero un diccionario **que** tenga frases con ejemplos.
   7. e) Necesito una mesa **que** ocupe poco espacio.
   8. d) Busco un hotel **donde** haya campo de golf.
7. Completar las oraciones con indicativo o subjuntivo:
   a. Busco un coche que no **consuma** mucha gasolina.
   b. Tengo un coche que no **consume** mucha gasolina.
   c. Conozco un sitio donde **se puede** bailar, comer y beber hasta muy tarde.
   d. Quiero comprar algo que **sirva** para la tos. Estoy fatal.
   e. Tengo ganas de ir a un lugar donde **se escuche** jazz pero no conozco ninguno en esta ciudad.
   f. Necesito un empleado que **pueda** trabajar los sábados por la mañana.
9. Respuesta libre.
10. Respuesta libre.

Evaluación del bloque 5

1. Funciones de los conectores discursivos:

Anadir información	Ordenar razones y argumentos	Señalar evidencias
Además Es más Incluso Cabe señalar/añadir... Por un lado... Por otro (lado)... Por una parte... Por otra (parte)...	En primer lugar En segundo lugar Por último Finalmente	Evidentemente Ciertamente La verdad es que Sin duda
Introducir una opinión	**Introducir una opinión contraria**	**Iniciar una argumentación**
Opino que Según Creo que A juicio de	Por el contrario En cambio A pesar de	Para empezar Antes que nada
Introducir una objeción	**Terminar una argumentación**	
Sin embargo No obstante Ahora bien	En resumen Para concluir Finalmente	

2. Modelo de carta:

   Querida doctora:

   Le escribo **porque** (1) no sé qué hacer. Me he enamorado locamente de mi jefa, y creo que ella también de mí. **Aunque** (2) yo le he asegurado que mi amor es sincero, ella no confía en mí y no me acepta, **por eso** (3) le he pedido que se case conmigo. **Sin embargo** (4), ella no quiere oír hablar del tema **porque** (5) dice que soy demasiado joven. Yo le he jurado que estoy dispuesto a todo, **incluso** (6) a dejar el trabajo si es necesario.

   ¿Qué me aconseja?

3. Secciones de un periódico:
   1. Artículos de opinión: b) Se refieren a temas culturales, científicos o políticos. Van firmados y representan una reflexión o una valoración sobre el tema del cual se escribe.
   2. Cartas al director: a) Expresan las opiniones de los lectores sobre temas relevantes para ellos. Son breves, con lenguaje claro y directo. Siempre van firmadas.
   3. Editorial: c) Representa la opinión del diario en relación con un tema o problema. No se firma.
   4. Noticias: d) Ofrecen información sobre un hecho actual de forma breve pero completa. Se refieren a hechos recientes, de última hora o al seguimiento de un hecho de interés general. Tienen estructura piramidal, es decir: titular, resumen de la información y desarrollo.

4. a. ▪ ¿Es cierto que han despedido a María de su trabajo?
   – Sí, pero me parece muy extraño que la **hayan despedido**, es muy trabajadora.
   b. Es magnífico que les **haya tocado** la lotería. Me alegro por ellos.
   c. ¡Que lástima que se **hayan acabado** las entradas al cine! Quería ver esa película.

5. Respuesta libre.

6. Respuesta libre.